Sur Proust

Jean-François Revel

Sur Proust

Remarques sur
*A LA RECHERCHE
DU TEMPS PERDU*
Édition définitive

Bernard Grasset
PARIS

à André Fermigier

Jean-François Revel / Sur Proust

L'essentiel de ce livre a été écrit en 1955 et quelques chapitres complémentaires le furent en 1959. Cela signifie qu'à l'époque, je n'avais ni l'intention ni même la possibilité de prendre parti dans les discussions, alors embryonnaires, sur ce que l'on devait appeler, plus tard, la nouvelle critique.

Les quelques indications, tout à fait rapides, que je donne dans le dernier chapitre au sujet des diverses conceptions possibles de la critique littéraire ne sauraient être présentées même comme une ébauche de construction théorique en la matière. Tout au contraire, mon propos, mon besoin, étaient plutôt d'écrire ce livre pour me reposer des théories. Critique bergsonienne, critique marxiste, critique existentialiste, critique socio-historique, critique psychanalytique : de ces écoles critiques, dans les années cinquante, il y en avait assez, les unes à leur zénith et les autres sur le déclin, pour inspirer à un lecteur le violent désir de fuir leur dogmatisme étouffant et de les oublier au contact des textes originaux. Cette déclaration, toutefois, n'équivaut nullement à un manifeste en faveur de la critique dite « impressionniste ». Certes, on me fera la grâce de supposer que j'ai

*eu assez de familiarité avec la philosophie pour savoir
que l'on ne peut jamais se soustraire entièrement aux
préjugés ni aux pesanteurs idéologiques. Tout ce que je
puis dire ici est qu'ayant relu Proust après une première
lecture faite quinze ans auparavant, j'ai été poussé par
cette relecture, en 1955, à noter, de la manière la plus
directe et immédiate possible, les observations qui me
venaient au cours de cette relecture.*

    *Mon livre a parfois été attaqué en France dans la
mesure où il semblait à certains que je voulusse transfor-
mer Proust en un romancier « réaliste », voire natura-
liste, ce qui allait dans une direction totalement opposée
à la tradition métaphysicienne de la critique proustienne. C'est là un excellent exemple de l'incompréhen-
sion à laquelle peut arriver une critique trop scolastique,
qui applique aux textes des catégories fossilisées. Le
malentendu provient de ce qu'une classification sommaire oppose la littérature « réaliste » à la littérature
« d'imagination ». Mais il suffit de citer l'exemple de
Saint-Simon, qui est le plus grand réaliste et en même
temps l'imaginatif le plus visionnaire de la littérature
française, pour comprendre comment une telle opposition méconnaît radicalement l'infinie variété des voies
de la création littéraire. Dira-t-on que Montaigne manque d'invention parce que son propos déclaré est de se
limiter à parler de ce qu'il a vu, senti, lu ou cru ?
L'imagination est une chose, la fiction en est une autre.
Il faut beaucoup d'imagination pour retrouver, recons-
truire et rendre présente une réalité, comme réussissent à
le faire Saint-Simon et Proust. Mais aucun de ces deux
écrivains n'est un auteur de fictions.*

    *Une des idées que j'exprime dans ce livre est que
Proust part toujours de quelque chose qu'il a vécu et*

éprouvé et qu'il ne construit pas de fictions. Ce que j'avais senti intuitivement et affirmé ingénument s'est trouvé confirmé, après la publication, en 1960, de mon étude sur Proust, par l'importante biographie due à George Painter. Au sujet de ce livre, je me permets de reproduire ici le compte rendu que j'en fis pour l'Express, en 1966, quand parut le premier volume de la traduction française :

« La grande biographie proustienne est enfin née¹. Le seul travail antérieur et complet sur ce sujet, intitulé « A la Recherche du temps perdu », datait de plus de quarante ans. L'intérêt de cette seconde biographie est de confirmer l'autobiographie de Marcel Proust, ou, si l'on préfère, de confirmer que la Recherche est véritablement une autobiographie. L'art de Proust est autre part que dans l'invention d'événements, de personnages, d'histoires, de sentiments, de dialogues, de paysages. La preuve est maintenant donnée jour par jour qu'il n'en a inventé aucun, et que, même lorsqu'il amalgame caractères, lieux ou situations, comme il le fait très souvent, ainsi qu'il l'a dit lui-même, les éléments de ces amalgames sont réels. Le seul roman que Proust ait jamais conté est que son livre soit un roman.

« Mais il fallait un labeur aussi minutieux que celui de George D. Painter pour ne pas suggérer seulement, mais démontrer cette superposition, si littérale, si surprenante, entre le vécu et le récit. C'était précisément rue La Pérouse qu'habitait Laure Heyman et elle avait, comme Odette, une porte de sortie rue Dumont-d'Ur-

---

1. *Marcel Proust*, tome 1 : Les années de Jeunesse (1871-1903), par George D. Painter, traduit de l'anglais par G. Cattaui et R.-P. Vial et préfacé par G. Cattaui. Mercure de France.

ville ; et Mme Strauss, partant un soir pour un bal costumé, avait effectivement mis par erreur des souliers noirs au lieu de souliers rouges ; et le mot de la stupide dame de compagnie de la princesse de Parme : « Il ne peut plus neiger, on a jeté du sel », a vraiment été prononcé par la dame de compagnie de la princesse Mathilde ; et « Taquin le superbe » est un mot d'Arthur Baignères, et l'épisode de Saint-Loup au manteau a eu lieu chez Lasserre ; et l'obsession d'étiquette nobiliaire du prince de Guermantes vient d'Aimery de La Rochefoucauld, lequel, refusant d'inviter les Luynes, expliquait : « Ils n'avaient aucune situation en l'an mil. »

« Certes, plus les personnages de la Recherche *sont importants et plus ils se construisent à partir de sources diverses : Charlus est à la fois — ou plutôt, successivement — Montesquiou et le baron Doasan ; Rachel est à la fois Mlle de Marsy et Louisa de Mornand ; la duchesse de Guermantes est tour à tour Mme de Chevigné, Mme Greffulhe, Mme Strauss ; la grand-mère de Proust lisait et citait bien Mme de Sévigné, mais le récit de son agonie dans le livre est celui de la mort de sa mère dans la réalité, avec un vrai docteur du Boulbon.*

« Le noyau de la création n'est jamais vague. La base est toujours un donné, trop particulier, trop individualisé, trop imprévisible, pour pouvoir même être forgé de toutes pièces.

« De même, déjà, dans cette préhistorique tentative de biographie de Proust jeune par Proust jeune, écrite avant 1900, Jean Santeuil, *à part trois chapitres, écrit Painter, toute la sixième partie s'inspire avec de légères altérations des vacances passées par Proust à Beg-Meil en septembre-octobre 1895, en compagnie de Reynaldo Hahn. Mais la conversation téléphonique avec sa mère,*

au chapitre II, provient de la semaine passée à Fontaine-bleau, en octobre 1896, avec Lucien Daudet, etc. Dans la Recherche *aussi, l'événement sera fréquemment contemporain de son expression littéraire et non point restitué par la « mémoire involontaire ».*

« George D. Painter va même jusqu'à s'attaquer à l'un des dogmes les plus vénérés de l'histoire littéraire : selon lui, l'homosexualité de Proust n'était pas exclu-sive. Ce dogme, à vrai dire, c'est Proust lui-même qui en est la source, puisque, selon un passage célèbre du Journal *d'André Gide, il professe « n'avoir jamais aimé les femmes que spirituellement et n'avoir jamais connu l'amour qu'avec les hommes ».*

« Painter prétend en savoir plus long sur ce point que l'intéressé lui-même, en remontant à des sources qui établiraient des rapports sexuels avec des femmes. Les jeunes filles en fleurs, Gilberte, Albertine, dit-il, n'ont pas toujours pour modèles des hommes, bien au contraire. Dans cette thèse, Painter nous paraît avoir à la fois raison et tort : il a raison lorsqu'il dit qu'il y a, dans la Recherche, *une intuition et un amour de la féminité qui interdisent de considérer toutes les jeunes filles et jeunes femmes qu'aime le narrateur comme des garçons déguisés ; il a raison aussi lorsqu'il démonte le procédé de ces critiques métaphysiciens qui, tout en déniant tout contenu réaliste à la* Recherche *et en la proclamant autonome, utilisent des éléments biogra-phiques mal établis pour poser en principe chez le nar-rateur, en tant que tel, une homosexualité qu'il ne s'attri-bue précisément pas dans son livre. Mais Painter nous paraît avoir tort lorsqu'il tient pour des preuves décisi-ves d'amour sexuel avec des femmes les faits bien mini-mes qu'il rapporte dans ce domaine.*

« Ces faits ne prouvent jamais plus que ces amours spirituelles dont parlait Proust à Gide, ou cette « amitié amoureuse » que Louisa de Mornand, selon elle-même, eut avec Marcel Proust. Or M. Painter (dans le second volume de sa biographie[1]) semble tenir pour acquise une liaison avec Louisa de Mornand parce que l'actrice est venue à plusieurs reprises chez Proust, qui lui a envoyé un petit poème.

« Mais il ne mentionne pas Reynaldo Hahn comme modèle possible et partiel à la fois d'Odette et d'Albertine, ce qui, pourtant, d'après la Correspondance, semble parfois évident. Autrement dit, pour M. Painter, le fait que Proust ait rencontré des jeunes femmes semble toujours prouver qu'il a couché avec elles, et le fait qu'il ait couché avec des hommes semble à peine prouver qu'il les ait rencontrés.

« De toute manière, la Recherche est, selon la formule parfaite de M. Painter, une « autobiographie créatrice ». Et la démonstration qu'il en donne est précisément une excellente occasion de nous débarrasser de cette conception scolaire de l'imagination qui encombre la critique littéraire actuelle, et selon laquelle l'imagination serait toujours la négation de la réalité perçue.

« L'imagination proustienne n'est pas ce qui éloigne de la réalité, mais ce qui sert à la voir. Il n'y a pas antinomie, dans le cas de Proust, entre « critique autobiographique » et interprétation par le « monde intérieur » de l'artiste, car ce monde intérieur n'est qu'un détour pour mieux apercevoir une vérité inséparable de la beauté. C'est à travers Ruskin que Proust a pris

1. George D. Painter, *Marcel Proust*, tome 2, Les années de maturité (1904-1922). Mercure de France.

conscience de cette fonction de l'imagination : « Le poète est une sorte de scribe écrivant sous la dictée de la nature ; le devoir de l'écrivain n'est pas d'imaginer (au sens de « forger de toutes pièces »), mais de percevoir la réalité », dit Ruskin. « Et puisque ce devoir est infiniment plus important que la vie, son accomplissement apportera le salut », poursuit Proust.

« Toutefois, je ne suivrai pas M. Painter lorsque, légitimement agacé par les explications conventionnelles de l'œuvre proustienne, il écrit : « On peut se demander ce que connaissent de la Recherche *ceux qui ne connaissent que la* Recherche. *» Souscrire à cette phrase serait déclarer que Proust a échoué comme écrivain. S'il est exact que l'historien de la littérature ne peut se dispenser, pour comprendre la genèse de la* Recherche, *de connaître la vie de celui qui l'a écrite, il serait contradictoire d'affirmer, à moins de décréter la faillite artistique de Proust, que le simple lecteur ne peut pas comprendre au moyen de la seule* Recherche *ce que le narrateur a voulu lui dire.*

« C'est même parce qu'il l'a si bien dit que le travail exemplaire de M. Painter était si difficile à entreprendre et paraît parfois un peu morne. Il est périlleux, littérairement parlant, d'écrire la biographie d'écrivains de génie dont l'œuvre est une autobiographie. Raconter la vie de Saint-Simon, de Rousseau ou de Casanova est une entreprise qui réclame de l'abnégation. Dans le cas de la Recherche, *néanmoins, il s'agit d'un problème si particulier de roman vrai, ou de fausse fiction, que l'entrelacs permanent de la vie et de la création littéraire méritait d'être déchiffré. »*

Le livre de Painter fut reçu plutôt froidement par les

« *proustologues* » *de profession. Et ce, pour des raisons qui ont plus à faire avec le conformisme hagiographique qu'avec la préoccupation de la vérité historique et de la compréhension littéraire. De mon côté, mon ambition, beaucoup plus modeste, a été de libérer le lecteur, et tout d'abord de me libérer moi-même, de cette hagiographie asphyxiante qui contribue à créer une atmosphère de confessionnal et à répandre une odeur de renfermé autour d'une des œuvres les plus claires, les plus ouvertes et les plus vives du vingtième siècle.*

Pour revenir à mon propos initial, je confesse avoir eu parfois la tentation de mettre à profit une réédition de ce livre pour y ajouter un chapitre où je tiendrais compte des idées apparues en critique littéraire depuis 1960, date de la première édition. Le moment venu, je m'aperçois que ce projet serait en fait celui d'un autre livre. Le greffer après coup sur ce livre-ci serait une erreur. J'ai voulu ici en effet formuler quelques remarques en marge d'une lecture de la Recherche, *sans plus, et non point me prononcer sur ce qu'est en soi la critique. Le dernier chapitre, notamment, est, comme les autres, relatif à Proust ; il réunit quelques observations à propos de la conception de l'œuvre d'art chez Proust et non pas sur « l'essence » de l'œuvre d'art, comme je l'ai déjà dit plus haut.*

De la même manière, je n'ai pas cherché, non plus, à mettre Proust au service de telle ou telle théorie transitoire de l'œuvre littéraire. On m'a reproché, par exemple, d'en faire beaucoup trop un sociologue. Si j'avais écrit entre 1945 et 1950 on m'aurait reproché d'en faire insuffisamment un sociologue. Aussi bien, à un moment où l'on accorde une attention suraiguë aux problèmes structuraux dans la littérature, on a réagi

avec hostilité à cette idée que la Recherche *n'était pas
« composée » sur un modèle formel rigide, pour ainsi
dire plastique — comme l'est* Ulysse *—, mais s'était
élaborée par additions bourgeonnantes, ce que les travaux faits depuis sur les manuscrits ont confirmé.*

*Dans les deux cas, ces réactions obéissent à des
« modèles » de ce qu'on peut appeler la matière sociale
ou l'imagination formelle en littérature. On ne peut, par
exemple, pas nier la teneur sociologique des* Mémoires
*de Saint-Simon, et cela ne signifie pas qu'on les conteste
comme phénomène d'écriture. On ne peut pas non plus
nier leur « forme », mais cela ne signifie pas que la
forme littéraire soit toujours construite selon un schéma
spatial et qu'on puisse toujours l'exposer en un tableau
synoptique. C'est là le degré le plus simpliste de la
forme. Il en est heureusement d'autres. En fait, il faut se
garder non pas tellement de la nature de l'explication
que de sa prétention à dominer et surtout de son style :
une explication sociologique scolaire me fait autant horreur qu'une explication structuraliste scolaire de Saint-
Simon ou de Proust.*

*La critique littéraire existe-t-elle ? Est-elle possible ?
Aucun système de critique littéraire n'a jamais été retenu
par la postérité. Mieux, tout système de critique littéraire
apparaît nécessairement comme la tête de turc obligée
de la génération qui le suit, et sans espoir de repêchage
ultérieur. Les Faguet d'aujourd'hui se moquent des
Faguet d'hier, confortablement installés dans la char-
rette même qui est en train de les conduire, comme leur
prédécesseurs, à la guillotine. Les grandes œuvres, à
l'instar de ces reines qui font régulièrement exécuter à
l'aube leurs amants d'un soir, étendent avec ponctualité*

*raides morts sur le terrain leur ration périodique de
cadavres critiques.*

*Voir tomber dans la trappe les systèmes critiques
précédents n'inquiète pas plus les auteurs des systèmes
critiques suivants que la disparition d'un régime politique ne préoccupe l'auteur du coup d'État qui fonde le
régime nouveau. En politique, il ne s'agit jamais de
savoir si les variations du cours de l'or étaient mieux ou
moins bien expliquées sous le régime antérieur, mais
uniquement d'être celui à qui il appartient actuellement
de fournir les explications.*

*Il est probable qu'un système de critique littéraire est
beaucoup plus un système de protection qu'un système
de pénétration. Une fois que ce système a rempli son
office pour une ou deux générations, les mécanismes en
sont bloqués. Ce qui caractérise un système de critique
littéraire est qu'il fait se ressembler entre elles toutes les
œuvres auxquelles on l'applique. L'art étant le règne de
la différence, il s'agit d'homogénéiser cette diversité
inquiétante, dont aucun échantillon ne relève ou ne
devrait relever du même langage.*

*C'est pourquoi on réclame en permanence, avec une
inlassable naïveté, la création d'un langage critique.
« Ce qui nous manque, c'est un langage », lit-on sous la
plume des critiques. Eh, non ! C'est précisément la
seule chose qui ne leur manque pas.*

*Un système de critique littéraire faisant se ressembler
entre elles toutes les œuvres est donc l'expression du
narcissisme de celui qui écrit, et il s'adresse au narcissisme des suiveurs. Le besoin littéraire est peu répandu,
le besoin d'éprouver un besoin littéraire l'est beaucoup.
Il faut donc fournir un substitut de besoin littéraire à
ceux qui n'en éprouvent pas.*

Créée par et pour des gens désadaptés (à eux-mêmes, à autrui, à la collectivité), la littérature est ensuite récupérée comme instrument d'adaptation.

Un homme qui s'adapte à la littérature n'a pas besoin de la littérature. Il a besoin, en revanche, de la critique. Si se libérer de la littérature — cette maladie du langage — consiste à ramener un acte littéraire à un autre acte littéraire, telle est la mission de la critique. Moins on aime, plus on milite. Faite d'entremetteurs infatigables (mais quel caméléon se fatigue ?) et de bons petits soldats aussitôt balayés par la mitraille (mais une nuit de Paris réparera tout cela), la critique se charge à la fois d'entretenir une agitation « littéraire » de surface et de traduire en ces termes d'agitation de surface les œuvres du passé, promues à l'honneur de servir de fond de sauce pour les spécialistes du moment.

Les systèmes de critique littéraire sont faits pour satisfaire la dévorante absence de curiosité pour les œuvres littéraires qui s'appelle la soif de culture.

Les naïfs s'imaginent toujours qu'on a enfin trouvé un bon moyen de ne laisser échapper aucune œuvre littéraire de valeur.

Antisthène déconseillait à ses disciples d'apprendre à lire. Il avait raison. Lire ne s'apprend pas.

1976.

CHAPITRE I

PROUST ET LA VIE

Aux séjours que fit ici Marcel Proust, les lettres françaises doivent À l'ombre des jeunes filles en fleurs, *véritable synthèse de la vie de plage au début du siècle. Albertine jouait au diabolo sur la digue, ses petites-filles s'exercent au jokari. Les prénoms, les jeux, la mode changent, mais les plages normandes feront toujours le bonheur de la jeunesse.*

(*Les* Guides Michelin régionaux, *fascicule* Normandie, *article* Cabourg.)

La vérité et la vie sont bien ardues, et il me restait d'elles, sans qu'en somme je les connusse, une impression où la tristesse était peut-être encore dominée par la fatigue.

MARCEL PROUST, *la Fugitive.*

CHAPITRE I

PROUST ET LA VIE

A la recherche du temps perdu est un des livres les plus homogènes qui soient. Œuvre d'un écrivain qui domine de toute sa maturité ce qu'il dit ; qui pourrait en dire beaucoup plus long, ou le dire autrement ; qui ne se « vante » pas, mais auquel tout ce qu'il raconte — ou l'équivalent — est vraiment arrivé ; enfin qui donne l'explication d'une chose parce qu'il a vraiment cru la comprendre ainsi et qu'il ne pense pas avoir beaucoup de chances de trouver mieux par la suite, et non point par goût de la théorie. Livre homogène, certes, et pourtant, jusqu'à un certain point seulement, car on a l'impression, parfois, que Proust incorpore à sa pensée présente, traduites dans sa formulation d'homme mûr — en leur conférant par là une autorité et un poids qu'elles ne possédaient peut-être pas à l'origine — des idées conçues, élaborées, récitées dans son for intérieur à toutes les époques de sa vie. L'œuvre adulte semble être le précipité final d'une longue méditation, plus ou moins volontaire, souvent interrompue, toute soumise aux humeurs d'un homme capable d'insister pendant des heures sur le même point, la même circonstance, le même portrait, de se les dire, de se les composer, de les écrire dans sa tête, n'ayant besoin d'aucun effort pour se concentrer sur son sujet, au contraire happé par le réel.

Cette facilité ne rend pas inexplicable la difficulté que Proust a éprouvée à se mettre à écrire : non par manque de matière, bien entendu, mais faute de pouvoir trouver aisément un rythme commun au flux des pensées et à l'organisation de l'existence quotidienne. Son problème est celui du début, non point de chaque page, mais de l'œuvre tout entière. Une fois cette œuvre commencée, il bascule en elle, les phrases s'écrivent, débordant de toute part, émergeant les unes des autres, et la difficulté deviendrait bien plutôt alors de s'interrompre. Le développement fourmille de nouvelles scènes, de traits, de saillies, de maximes, de conclusions générales qui ne concluent rien mais ne font qu'amorcer de nouveaux développements. Comme Montaigne, Proust ne pense que lorsqu'il pense sans effort, jusqu'à la satiété, et devient, malgré lui, comme obsédé par ses idées.

Il a dû toujours penser ainsi, longuement, souvent : d'où l'intérêt prodigieux qu'il parvient à prendre aux réunions les plus ennuyeuses. Car ce n'est pas l'ennui de ces réunions qu'il perçoit : il est lui-même stupéfait de constater, quand il lit la description-pastiche du salon Verdurin par les Goncourt, dans *le Temps retrouvé*[1], qu'en somme il n'a jamais rien su remarquer de ce qu'il était censé voir, que tout lui a échappé de ce qui frappe les autres. A quoi tient ce fait ? Goncourt s'occupe des opinions et théories de Mme Verdurin,

1. *A la recherche du temps perdu*, Bibliothèque de la Pléiade, T. III, pp. 709-717.

Proust de sa manière de rire. Goncourt admire la vaisselle des Verdurin, Proust la façon dont les Verdurin parlent de cette admirable vaisselle. Et, se plaçant ainsi au niveau où transparaît le système nerveux des événements comme, en regardant un tableau à la lumière rasante, l'œil en découvre la facture tourmentée, les coups de pinceau et les repeints, alors qu'en le regardant de face il ne voit qu'une première couche d'illusion, à laquelle la critique d'art viendra en ajouter une seconde, Proust montre en projection simultanée les manifestations des hommes, les explications qu'ils en donnent, leurs intentions conscientes mais inavouées, les mobiles et les impulsions, inconnus d'eux, auxquels se rattachent leurs manifestations, enfin (et c'est peut-être là le plus précieux), les moments où ces manifestations se mettent à vivre pour ainsi dire d'elles-mêmes, devenant indépendantes des hommes et s'en détachant pour danser un ballet de gestes et d'intonations, qui compose le spectacle que donne de lui, à son insu, chaque être humain : ainsi Legrandin, ayant contracté de sa fréquentation des mauvais lieux et de sa peur qu'on l'y vît entrer, ou qu'on l'en vît sortir, l'habitude de ne plus franchir une porte, même pour pénétrer dans un salon, qu'en coup de vent et par une sorte de bond, d'effacement, de dérobade[1] ; le duc de Guermantes retenant obstinément la main du père du narrateur dans la sienne « pour bien lui prouver qu'il ne lui marchandait pas le contact de sa chair précieuse[2] », geste où il croit mettre un monde de grandeur d'âme et qui incommode évidemment le bénéfi-

1. III, 665.
2. II, 33

ciaire ; Proust lui-même, lorsque, avant même d'avoir
réfléchi, il acquiesce mécaniquement au reproche de
« dilettantisme » qui lui est fait par M. de Charlus. Le
dilettantisme, cette erreur où le baron voit la cause
principale de la guerre de 1914. (« Par surprise du
reproche, manque d'esprit de repartie, déférence
envers mon interlocuteur, attendrissement pour son
amicale bonté, je répondis comme si, ainsi qu'il m'y
invitait, j'avais aussi à me frapper la poitrine, ce qui
était parfaitement stupide, car je n'avais pas l'ombre
de dilettantisme à me reprocher[1]. »)

Lorsqu'on regarde directement à travers la pellicule
le film de la *Recherche* sans le projeter, ou qu'on le fait
passer au ralenti dans l'excellente moviola que constitue l'index de l'édition de la Pléiade, on est frappé par
le nombre de brèves séquences, se suffisant à elles-
mêmes, dont il se compose. Tantôt visuelles : « Bloch
était entré en sautant comme une hyène[2] », tantôt
auditives, imposant à l'oreille du lecteur une intonation : On disait : « Mais, vous oubliez, un tel est
mort », comme on eût dit « il est décoré », « il est de
l'Académie[3] ». Audiovisuel, ou purement visuel, l'ins-
tantané acquiert d'emblée la vivacité de raccourci, le
potentiel narratif enchâssé dans l'immobilité même de
l'image que possèdent une gravure de Goya, de Dau-
mier, ou simplement de Gavarni, ou, plus aimable-
ment, de Constantin Guys, qu'il s'agisse de la scène
d'amour sadique, à Montjouvain, entre Mlle Vinteuil
et son amie, scène vue tout entière inscrite dans l'enca-

1. III, 808.
2. III, 966.
3. III, 977.

drement lumineux d'une fenêtre éclairée, la nuit, ou qu'il s'agisse du faciès à la fois burlesque et hideux de M. de Norpois, de l'entrée de M. de Charlus chez Mme Verdurin, à la Raspelière[1], ou encore de l'attitude majestueuse de M. Bloch père : « N'allant pas jusqu'à avoir une voiture, M. Bloch louait à certains jours une victoria découverte à deux chevaux de la Compagnie, et traversait le bois de Boulogne, mollement étendu de travers, deux doigts sur la tempe, deux autres sous le menton, et si les gens qui ne le connaissaient pas le trouvaient à cause de cela "faiseur d'embarras", on était persuadé dans la famille que, pour le chic, l'oncle Salomon aurait pu en remontrer à Gramont-Caderousse. » Crayon auquel la deuxième partie de la phrase sert comme de légende[2]. Ou qu'il s'agisse enfin, au bois de Boulogne à nouveau, de la silhouette tout en couleurs claires de Mme Swann apparaissant dans l'allée des Acacias.

Proust veut voir les phénomènes tels qu'ils sont, il les croit profondément tels qu'il les voit, on pourrait presque dire tels qu'il les *reçoit* : car son inattention, dans un dîner, aux événements, pour lui superficiels, qui captivent les frères Goncourt est la condition d'un état de réceptivité aux faits qui, à ses yeux, sont seuls importants, et dont la perception lui donne la certitude de toucher à la réalité telle qu'elle est en elle-même. La certitude d'atteindre le corps des choses en se rendant disponible, en plaçant le regard de façon à le rendre

1. II, 907-8.
2. I, 772.

accessible aux images que lui envoie la matière intime
du réel, avec sa vérité, ses lois — cette certitude ressort
bien de la comparaison suivante entre divers instruments d'optique : « Bientôt, je pus montrer quelques
esquisses. Personne n'y comprit rien. Même ceux qui
furent favorables à ma perception des vérités que je
voulais graver dans le temple, me félicitèrent de les
avoir découvertes « au microscope », quand je m'étais
au contraire servi d'un télescope pour apercevoir des
choses, très petites en effet, mais parce qu'elles étaient
situées à une grande distance, et qui étaient chacune
un monde. Là où je cherchais les grandes lois, on
m'appelait fouilleur de détails[1]. »

Non seulement l'auteur de la *Recherche* est envahi
par la présence des choses et des scènes, mais on sent,
et d'ailleurs il dit que, depuis toujours, il ne peut pas
s'empêcher de les décrire attentivement avec des mots.
On sent en effet, fréquemment, dans la *Recherche*, des
« morceaux préparés » — sans que j'attache ici rien de
péjoratif à cette expression, car il s'agit évidemment
d'une préparation en profondeur : Proust est capable
de reprendre un même récit de cent manières, avec
autant de conviction et de verve, et d'ailleurs il le fait
souvent. Le contact intime avec la chose à dire engendre le besoin et le talent de la raconter plusieurs fois
sans pourtant se répéter. Cette réalité, Proust l'a
contemplée depuis longtemps, il a pensé sans doute
des centaines de fois à une conversation, à un individu,
à un épisode, les a imprégnés, dans sa tête, de ses mots,
de ses phrases, les *exprimant* déjà, trouvant une, dix
expressions ; composant, ordonnant, classant ses for-

1. III, 1041.

mules, les oubliant, mais ne voulant pas perdre la possibilité permanente de remonter à leur source. C'est là, probablement, l'une des composantes de son remords de ne pas écrire au cours des longues années d'oisiveté, remords qui semble provenir de la simple crainte de mourir sans avoir *pris note*, à l'époque même où se passent les événements qu'il raconte : pris note, non pas de ces événements mêmes (il n'en manque jamais !) mais de ses propres mots, et aussi des idées et des réflexions morales que ces événements lui suggèrent. Sans cette préécriture mentale, on ne comprendrait pas le caractère de photographie merveilleusement au point de certains paragraphes proustiens : la façon dont Charlus s'absorbe, sans en avoir l'air, dans la contemplation des deux fils de Mme de Surgis-le-Duc jouant aux cartes[1], ou bien la façon dont Swann, presque mourant, est envahi une dernière fois par le désir, en se penchant sur le corsage de cette même Mme de Surgis (et Proust saisit chez Swann ce retard d'une seconde, où l'amour des femmes, qui a dominé sa vie, entre en collision dans ses yeux avec l'idée de la mort prochaine[2]) ; ou encore le portrait moliéresque du Pr Dieulafoy, celui dont la spécialité est de venir constater l'agonie ou la mort[3]. Tous ces portraits-minute, et tant d'autres archétypes, Proust a dû y penser souvent, avant de les écrire, moins pour les avoir tout faits, sous la main, que pour les tenir prêts à être faits, pour, en y songeant, afin d'en ébaucher des formulations, éprouver qu'il *pouvait*, à n'importe quel moment, se mettre à les écrire.

1. II, 689.
2. II, II, 707.
3. II, 342-43.

D'où le double caractère, la double saveur de son
œuvre, où achèvent de mûrir les fruits d'une lente
préparation et qui pourtant respire l'aisance détendue
d'une libre spontanéité. Proust improvise ses marot-
tes, il n'est ni exactement un reporter (on connaît son
dédain pour « l'observation », qui va mettre myope-
ment le nez sur les choses et qui les « note », parce
qu'elle ne sait pas les voir) ni exactement un imaginatif
car il ne s'intéresse qu'à ce qui est vraiment arrivé. Le
fait que, pour lui, le souvenir soit, de préférence à une
attention de commande dans le présent, favorable à la
vision et au sentiment intenses de l'événement, ne
signifie pas du tout que ce soit autre chose que cet
événement lui-même, cet événement seul, vécu, qui
l'intéresse. Le souvenir, pour Proust, n'est jamais l'illusion, l'embellissement mystique et la fuite des
romantiques loin de l'ingrate vie. Bien au contraire,
c'est le présent qui est illusoire, flou, pour des raisons
d'ailleurs très concrètes : distractions, conversations,
fatigues, et surtout complaisance qui, pour les besoins
de l'euphorie du moment, nous fait grossir les qualités
de nos interlocuteurs. L'épuration littéraire de la scène
se fait donc dans le souvenir, parce que le souvenir est
en réalité le présent, mais débarrassé des courants
d'air, de la vanité d'éblouir, de l'angoisse amoureuse.
Un brouillard se dissipe, l'objet apparaît, une image
se coagule, scène déterminée ou, plus souvent, ensemble de gestes et d'intonations qui peuvent être prêtés
éventuellement à plusieurs personnages différents, et
jouent le rôle de ces petits diptyques portatifs, dans la
peinture des anciens Pays-Bas, que les voyageurs
ouvraient dans chacune de leurs résidences passagères.
De tels tableaux se promènent à travers la *Recher-*

che. Ainsi le passage faisant état de l'amincissement de Legrandin vieillissant, opposé à l'épaississement de Charlus, « effets contraires du même vice », se retrouve mot pour mot appliqué à Saint-Loup, de même que le passage sur les entrées en coup de vent, par habitude de franchir *ex abrupto* le seuil des hôtels louches[1]. Le fait que Proust n'ait pas eu le temps de réviser *le Temps retrouvé* pour en éliminer ces redites nous permet de constater que ces comportements et ces silhouettes étaient déjà écrits dans sa tête et se sont appliqués deux fois, le déclic ayant joué, par erreur, deux fois. De même, la description de Gilberte paraissant à table « entièrement peinte » le soir où son mari vient dîner, pour tenter de le reséduire, se retrouve littéralement appliquée à la princesse de Guermantes désireuse de séduire Charlus (!), dans l'admirable inédit heureusement publié à la fin du tome II de la Pléiade[2].

Rien de plus parlant, pour vérifier l'existence de ces noyaux de départ, de ces scènes déjà devenues « classiques » dans la mimique intérieure de Proust avant même qu'il ne se mît à son œuvre, rien de plus démonstratif que les sous-titres qu'il avait donnés aux diverses parties de la *Recherche*. Par exemple, au début de la deuxième partie du *Côté de Guermantes*, on lit : « Maladie de ma grand-mère — Maladie de Bergotte — Le Duc et le Médecin — Déclin de ma grand-mère — Sa mort. » Or, si l'on compare le programme à la réalisation, ces plans originels ne soufflent pas mot de passages qui, dans le texte final, seront parfois les plus

1. III, 698-9.
2. Cf. III, 702 et II, 1185.

longs et les plus importants (ainsi dans le volume cité, la soirée à l'Opéra, le séjour à Doncières, la matinée chez Mme de Villeparisis). Inversement, certaines scènes annoncées ne sont pas du tout traitées, ou à peine, mais émergeront ailleurs (« maladie de Bergotte »), ou bien elles deviennent un détail dans un ensemble beaucoup plus vaste (« le duc et le médecin »), ou bien elles sont racontées sous un autre éclairage (« l'esprit des Guermantes devant la princesse de Parme » devient, en fait, quelque chose comme « je perds mes illusions sur les Germantes et je juge le monde »), ou encore, elles apparaissent dans un ordre différent de l'ordre annoncé. Il y a tantôt décalage des tableaux prévus (et vus) par rapport aux développements et aux accroissements où s'épanche le récit intégral, tantôt, au contraire, encadrement exact de l'un de ces tableaux par les dimensions annoncées dans la séquence générale : « l'étrange visite à M. de Char- lus[1] » respire le numéro depuis longtemps mis au point, la brillante réussite dont on a dosé chaque effet, savouré et répété chaque trouvaille, mesuré, épuré et fignolé avec un fol amusement la cocasse progression et les inénarrables « clous ». — Et combien de fois Proust ne dit-il pas : « au moment où cela se passait, je me mis à penser que, je me fis la réflexion que », lorsqu'il parvient à la constatation enfin irrévocable ou à l'explication enfin évidente d'un phénomène qui l'a toujours intéressé : il nous rapporte non point ce que l'auteur pense maintenant, en écrivant son livre, mais ce que le personnage du narrateur pensait jadis et se précisait à lui-même. Même si son opinion n'a pas

1. II,   552-565.

changé, il importe que ce soit dans l'événement vécu que cette opinion s'est exprimée. Les réflexions, même les plus générales, font partie du récit, sont liées à la situation rapportée, à l'homme lui-même acteur, alors, dans cette situation. C'est là ce qu'on perd trop souvent de vue lorsqu'on cherche à isoler un Proust théoricien. Les idées de Proust sont inséparables des « choses vues », des tableaux mobiles, qui constituent les cellules premières de la *Recherche*, et qui nous montrent que cette recherche du temps perdu a commencé au présent.

Que l'ordre dans lequel ces tableaux mobiles seront finalement exposés ne soit pas, lui, essentiel, qu'il n'y ait pas, à vrai dire, de fil de la narration proustienne, on peut s'en rendre compte, mieux encore que par les tables des matières définitives, du type de celle recopiée ci-dessus, en lisant le « Pour paraître en 1914 » qui se trouve imprimé sur la page de garde de l'édition originale de *Du côté de chez Swann* :

« Pour paraître en 1914 :
A la Recherche du Temps Perdu.
Le Côté de Guermantes.
Chez Mme Swann — Noms de pays : le pays — Premiers crayons du baron de Charlus et de R. de Saint-Loup — Noms de personnes : la duchesse de Guermantes — Le salon de Mme de Villeparisis.

A la Recherche du Temps Perdu.
Le Temps Retrouvé.
A l'ombre des Jeunes Filles en fleurs — La princesse de Guermantes — M. de Charlus et les Verdurin — Mort de ma grand-mère — Les intermittences du cœur

— Les « vertus et les vices » de Padoue et de Combray — Mme de Cambremer — Mariage de R. de Saint-Loup — L'adoration perpétuelle. »

Il existe un tableau de Max Ernst qui, de loin, a l'air d'une carte d'Europe, mais qui, une fois qu'on s'en est approché, se révèle n'être composé d'aucune forme appartenant réellement à l'Europe, et qui pourtant n'arrive pas à être autre chose qu'une carte d'Europe : c'est *l'Europe après la pluie* ; et, comme souvent chez Ernst, la lecture du titre apporte le soulagement au malaise provoqué par l'œuvre.

Ne croirait-on pas avoir affaire ici à quelque « Recherche du Temps Perdu après la pluie », quoiqu'il s'agisse, au contraire, d'une sorte d'ère tertiaire dans la géologie proustienne ? De même qu'en contemplant l'état de notre continent en une période géologique ancienne, nous voyons des océans là où se dressent aujourd'hui des massifs montagneux et inversement, ainsi on constate que, des projets de Proust, tout subsistera sous une forme ou sous une autre, mais pas au même endroit, pas dans le même rapport avec le reste, pas avec le même relief. Ce qui devait peser une tonne est finalement réduit à dix grammes et remplacé par des éléments non prévus au programme mais destinés à meubler très largement l'horizon. Les *Jeunes Filles en fleurs* situées après *Guermantes* et devenues simple épisode du *Temps retrouvé*, Mme de Cambremer placée sur le même pied d'importance que Charlus et Saint-Loup, les « vertus et les vices » de Padoue et de Combray — c'est-à-dire, je suppose, la visite à l'Arena et la confrontation avec le souvenir des reproductions offertes par Swann — annoncés comme un chapitre et qui tiendront en quelques lignes de *la Fugi-*

tive ; enfin l'absence totale d'Albertine — cette confi-
guration du *Temps perdu*, à ce stade de son évolution,
si différente des formes et des proportions que prendra
l'organisme adulte, permet d'apprécier ou de
soupçonner les rôles respectifs, chez Proust écrivain,
de l'improvisateur qui crée d'abondance et de l'obsédé
qui reproduit quelques scènes impossibles à modifier.

Écrire résulte chez Proust du besoin d'exprimer certaines choses déterminées, de raconter telle histoire et
nulle autre. Son talent n'est pas une disposition indiffé-
renciée qui vient à s'individualiser dans un sujet ou une
catégorie de sujets. Il est poussé par ses sujets, il ne les
choisit pas, semblable à ces voyageurs de jadis qui sont
devenus écrivains seulement parce qu'ils ont été les
seuls témoins de faits extraordinaires en Océanie ou
dans l'Antarctique. C'est pour cela que le travail de
Proust est en apparence si négligent, pour cela qu'il
préfère continuer plutôt que de corriger, qu'il ajoute
indéfiniment, récrit sans refondre, surcharge, oublie,
répète, trouble la composition. Ce n'est pas parce qu'il
improvise, c'est au contraire parce qu'il n'improvise
pas, parce qu'il est porté par la matière. Celui qui
improvise effectivement, c'est-à-dire qui trouve ses
idées au moment même où il les écrit, a bien trop peur
d'en perdre le fil pour se permettre un tel désordre
extérieur car, quand on invente sur le moment même,
on n'est pas sûr, comme l'est Proust, de voir resurgir de
toute manière, à un endroit ou à un autre, ce qu'on
n'aura pas noté, développé, mis en place. Proust
redoute, certes, de n'avoir pas la possibilité de se mettre à son œuvre, mais une fois qu'il s'y est mis, une fois
réunies les n + 1 conditions extérieures psychologiques
ou physiologiques, sans lesquelles il ne peut pas tra-

vailler, il sait que ses thèmes ne peuvent pas se volatili-
ser, et que seules la maladie ou la mort pourraient
l'empêcher d'achever son œuvre. Son problème — non
de manquer d'idées, mais de se mettre matériellement
à écrire — étant résolu, il sait devoir en passer, quoi
qu'il arrive, par tel fait, telle conception, telle métaphore. Chez lui la composition, aussi peu distincte que
possible de la substance même des faits relatés, est
donnée dans la graine de l'œuvre, elle est inéluctable.

On a beaucoup parlé de la subtilité de la composition proustienne, on l'a beaucoup comparée tantôt à la
musique sérielle, tantôt à la relativité généralisée,
tantôt à la mécanique ondulatoire et à la théorie des
quanta — la liste des équivalents scientifiques étant
nécessairement bornée par les informations réduites
que fournissent les manuels de logique de la classe de
philosophie. Ce serait donc avoir l'air de cultiver à la
fois la platitude et le paradoxe que d'observer combien
la composition de la *Recherche* est relâchée, peu calcu-
lée et peu rythmée. Proust ne compose évidemment
pas, il ne « met » pas « ensemble », au sens architectu-
ral du terme, des éléments définis en vue de cette
construction même. Seuls les mauvais écrivains le font,
du reste. De plus il me paraît clair d'après la seule
lecture de la *Recherche* que ce livre se décompose, en
avançant, plus qu'il ne se compose, qu'il s'enrichit en
se gonflant, par débordements et hypertrophies loca-
les, comme font les *Essais* de Montaigne. Les idées-
tableaux préalablement fixées sont rapidement prises
dans une énorme masse qui, elle, est en quelque sorte
venue par surcroît. La réalisation de Proust a dépassé
de beaucoup son projet, comme le montre l'annonce
par lui-même de ce qui devait suivre *Swann*. D'un côté

persiste tout en s'atténuant l'improvisation préparée de l'auteur qui voulait coucher sur le papier quelques souvenirs obsédants, mais qui, sachant obscurément que ces souvenirs resurgiront toujours — comme le psychanalyste sait que le thème dont le patient a perdu le fil resurgira inévitablement — délaisse à tout propos cette ligne principale, prend la liberté de se jeter dans les digressions les plus longues, et c'est ce retour perpétuel, quoique de plus en plus espacé, qui donne à la *Recherche* ses mélodies et ses contrepoints, et qui peut faire parler de composition « savante » (ainsi *Du côté de chez Swann* s'ouvrant sur un coucher et finissant sur un lever). De l'autre côté, et de plus en plus généreuse à mesure que le livre devient ce qu'il est, une autre improvisation se déploie, au service d'une pensée de constatation, écrite au présent, c'est l'improvisation des digressions qui enveloppent et noient les images primitives, finissant par nous les faire perdre de vue, à nous et à l'auteur. Comme chez Montaigne, l'accessoire devient le plus volumineux, le plus significatif peut-être et, du point de vue littéraire, le meilleur. Bien que Proust reste convaincu de toucher à l'essentiel de lui-même dans ses thèmes anciens, ce sont sans doute au contraire ses digressions qui l'ont sauvé de ses obsessions.

Je n'ai pas prétendu, dans les pages qui précèdent, traiter de la genèse historique de l'œuvre de Proust. Les sentiments que j'y exprime reposent sur la seule lecture des textes littéraires de Proust, et même sur la lecture attentive de la seule *Recherche*, puisqu'il reste vrai, malgré l'intérêt des inédits publiés depuis 1950, que « Proust est l'homme d'un seul livre[1] » comme le

---

1. Préface au *Contre Sainte-Beuve*, 1954.

dit Bernard de Fallois — confirmation du fait que le
génie de Proust est lié à une matière unique, qu'il n'est
pas une manière. Je n'aborde pas la question des rapports entre le livre de Proust et sa biographie, dont je
sais seulement ce que personne ne peut éviter d'en
savoir. Que les proustologues m'excusent si j'écris
indifféremment « Proust » et « le narrateur ». Bien
qu'il n'y ait dans la *Recherche*, selon Proust lui-même,
aucune incorporation littérale et intégrale d'un personnage ou d'un événement réels, il me semble également
indiscutable que rien, absolument rien, n'y est créé de
toutes pièces, et que l'auteur n'y parle jamais que de ce
qu'il a vécu ou vu. Mémoires imaginaires ou roman
vrai, ou les deux, le goût le plus profond de la *Recherche* est celui du réel. En raillant une esthétique terre à
terre de « l'observation » plate, du décalque labo-
rieux, Proust a cru naïvement avoir fait le procès du
réalisme ou même de la réalité. Mais quels que soient
les écartèlements, les arrangements, les dispersions,
les reconstructions plastiques qu'il fasse subir aux éléments de son récit, on peut se demander s'il a inventé
un seul de ces éléments.

Il n'est certes pas exact de dire que Proust
« déverse » dans son roman son « expérience de la
vie », car on ne s'aperçoit pas un beau jour qu'on a
« de l'expérience » : et d'ailleurs, où fixer ce jour ? Ne
devrait-on pas le reculer indéfiniment vers la naissance ? En réalité, l'expérience ne s'acquiert pas (combien sont revenus des camps de prisonniers aussi
petits-bourgeois qu'avant) ou, du moins, quand elle
s'acquiert, c'est de tout temps, et on y réfléchit de tout
temps. Proust lui-même a dénoncé l'illusion selon
laquelle il existerait dans la vie des « minutes de

vérité » provoquées par des « moments » exception-
nels : « Car il est extraordinaire à quel point, chez les
rescapés du feu que sont les permissionnaires, chez les
vivants ou les morts qu'un médium hypnotise ou
évoque, le seul effet du contact avec le mystère soit
d'accroître, s'il est possible, l'insignifiance des propos[1]. » Aussi, l'idée de la prise de conscience du sens
et de la possibilité de son œuvre — lorsque, dans *le
Temps retrouvé*, Proust attend que le morceau de
musique soit fini pour pénétrer dans le salon de Mme
Verdurin devenue princesse de Guermantes —, cette
brusque « révélation » m'a-t-elle toujours semblé une
version peut-être un peu voulue des événements. Je
dirai même qu'elle m'a toujours semblé être un bon
exemple de ce qu'on appelle une « superstructure
idéologique ». De plus, à l'endroit où elle vient, cette
révélation si souvent annoncée n'est pas une nouveauté, et *le Temps retrouvé* n'offre rien que redites sur
ce point : Proust a déjà expliqué cent fois ce qu'il
considérait comme étant pour lui la source de la « création » littéraire, comme il dit. Pourtant, on répète de
confiance que *le Temps retrouvé* est la clef de l'œuvre.
Or *le Temps retrouvé* est un charmant recueil de souvenirs sur Paris en temps de guerre, une salutaire satire
du chauvinisme, des salons nationalistes, des égéries
patriotiques, de la presse envahie par la prose martiale
des Norpois et des Brichot. Une bonne partie du livre
est consacrée à une chronique en hors-d'œuvre de
l'évolution homosexuelle de Saint-Loup et des drames
qui agitent le mariage Gilberte-Saint-Loup. On
trouve, à la fin, des notations extrêmement « précieu-

1. III, 757.

ses » (pour parler en langage de Sorbonne) sur les
conditions dans lesquelles Proust se met au travail, en
luttant à la fois contre sa maladie et contre ses habitudes ; sur son indifférence au jugement des autres touchant la valeur de son œuvre, du moins dans l'immédiat. On y lit encore le récit de sa dernière sortie dans le
monde, cette matinée où tout le monde a l'air de s'être
« fait une tête » à force d'avoir vieilli. Enfin et surtout,
on savoure non pas tant la grand-guignolesque séance
masochiste de Charlus, la nuit, dans l'hôtel louche,
intermède reposant mais un peu conventionnel, que
l'admirable rencontre de Proust et de Charlus sur les
boulevards. Quel sublime monologue que celui du
baron, sur la guerre, les Allemands, l'histoire, les fautes de français dans les articles de Norpois, l'époque, le
dilettantisme et l'impossibilité regrettable où les événements le mettent d'envoyer ses vœux annuels à
François-Joseph, son cousin, etc.[1]. Quant à la révélation de la nature et du sens de son œuvre, déjà sura-
bondamment expliquée dans *Swann*, et que l'auteur
reçoit ici, de la résurgence dans sa mémoire de la
sensation de l'inégalité du niveau des dalles de Saint-
Marc de Venise, c'est là, peut-être, le passage le moins
vivant du *Temps retrouvé*, le moins inattendu[2]. D'ailleurs, le caractère d'illumination fulgurante apportant
l'œuvre au monde serait compréhensible s'il s'agissait
d'un poème mystique ou d'une extase métaphysique
dispensés de tout détour à travers l'existence quotidienne. Mais cette révélation est plus surprenante,
dans son incandescence prophétique, quand on voit

1. III,   763-803.
2. III,   872.

ensuite qu'il s'agit en somme de décrire minutieusement les maîtres d'hôtel de Paris ou de Balbec, le
regard de Brichot derrière ses lunettes, ou les calembours du Pr Cottard.

De façon générale, le thème des deux mémoires, qui
constitue la thèse philosophique fondamentale de
l'œuvre, me paraît être de beaucoup l'un des moins
originaux. Pour commencer, bien entendu, l'idée n'est
pas nouvelle quand Proust la reprend. Et non seulement elle n'est pas nouvelle, mais elle règne, vers 1910,
à titre de lieu commun mondain issu de Bergson. Elle
avait, avant Bergson, constitué un thème fondamental
des romans de George Eliot. Proust, on le sait, les lisait
et les aimait beaucoup. On rencontre également la
même idée, traitée avec une puissance incomparable,
par un écrivain que tous ignoraient alors, Kierkegaard,
qui distingue dans l'Introduction du *Banquet (In vino
veritas)*, ce qu'il appelle souvenir de ce qu'il appelle
mémoire. Chose curieuse, il prête à sa mémoire les
caractères de spontanéité et de soudaineté reconnus
par Proust à sa mémoire « vraie », mais, au contraire
de Proust, c'est au souvenir réfléchi, à *l'art* de se souvenir qu'il attribue la force créatrice, la faculté, par
exemple, d'éprouver méthodiquement par le « souvenir » le mal du pays tout en restant chez soi. A l'époque
où il écrit, Kierkegaard est original, alors qu'au
moment où Proust écrira, il vient non seulement après
Bergson, mais après toutes les discussions des psycho-
logues autour de la « mémoire affective ». Croyant
atteindre l'intemporel, l'impérissable, Proust n'atteint
qu'à la cheville de Théodule Ribot[1]. Il révèle son

1. Il s'agit non pas du peintre, mais d'un philosophe qui faisait
autorité à la fin du XIXᵉ siècle ; auteur, en particulier, d'une *Psychologie des sentiments* (1896).

matérialisme latent ou son empirisme associationniste en faisant toujours dépendre le déclenchement de la « mémoire vraie » d'une *sensation*, le souvenir plein de l'identité, de la coïncidence entre une sensation présente et une sensation passée et par conséquent d'un facteur extérieur toujours fortuit. Dans le spiritualisme bergsonien, ce n'est jamais rien d'extérieur, mais la seule intuition du « moi profond », dans la pure intériorité, qui peut procurer une telle expérience. La psychologie de Proust mélange un peu de spiritualisme avec un peu de sensualisme associationniste. Il devient plus bergsonien lorsqu'il devient plus théoricien, par exemple dans ses vues sur la création artistique, et se rapproche du sensualisme et de l'associationnisme lorsqu'il raconte sans trop s'exalter ce qui se passe en lui, et que le conteur du réel reprend la parole. Mais quelle que soit la philosophie qu'il forge à ce propos, l'expérience qu'il relate, cette superposition d'une sensation passée et d'une sensation présente, à quoi tout brusquement s'accorde, a dû certainement être très forte pour lui, si forte qu'il a sans doute estimé naturel et facile d'en communiquer le charme. Mais le charme de ce contact entre nous et notre passé, qui est un fait indiscutable et vécu par tous, si chacun l'éprouve pour son propre compte, n'est-il pas aussi difficile de le faire partager à un tiers qu'il l'est de lui faire partager l'expérience de la passion amoureuse ?

Je l'avoue en effet : les passages que j'aime le moins, chez Proust, ceux que je relis avec le moins de curiosité, ce sont ces résurrections qui émergent, précisément, de sa « seconde mémoire » — à commencer par l'histoire de la madeleine, qui m'a toujours fait penser à une « narration » de classe de troisième (« Tout

Combray [...] est sorti de ma tasse de thé[1] », c'est faible, comme dernière phrase) ; ces évocations d'impressions, à propos de noms de lieux, d'habitudes domestiques, de changements de saisons ; ces découvertes désabusées d'endroits familiers devenus rétrécis et méconnaissables quand on y retourne après un long temps ; ces amalgames d'un nom et d'une image, d'un sentiment et d'une circonstance, d'un bruit de calorifère et d'une période de la vie, d'une odeur et du souvenir d'un grand amour — oui, tout cela est vrai, tout cela nous arrive, mais, il faut bien le dire, n'a guère d'intérêt que pour nous-mêmes. Parfois on ne voit vraiment pas pour quelle raison, en dehors de celle que cela lui est arrivé à *lui*, Proust s'étend longuement sur certaines choses. Et que l'on me comprenne bien : c'est la chose qui m'ennuie, et non pas la longueur ; car si l'on appelle brièveté le fait de ne rien écrire qui n'exprime une nouvelle idée, le style de Proust est en général un des plus rapides qui soient, sauf, précisément, dans les passages qu'il croyait, lui, les plus lyriques. Sa psychologie en l'occurrence intégralement associationniste se retourne ici contre lui : car s'il est vrai, comme il le dit, que ces constructions affectives résultent exclusivement de rencontres fortuites entre une sensation et un sentiment, elles n'ont évidemment de résonance que pour l'individu chez qui elles se sont produites. Nous avons les nôtres pour notre propre compte, et ce n'est pas le fait général qui est précieux, c'est le contenu personnel, lequel n'est touchant que pour celui qui le vit. Mes réserves ne sont pas dictées, ici, par le souci de condamner pour la dix millième fois

1. I, 48.

l'associationnisme, psychologie, paraît-il, démodée. Quelle que soit la théorie psychologique dans laquelle on les encadrera, les phénomèmes affectifs décrits par Proust sont, avant tout, des faits vécus, et c'est comme tels, c'est d'abord en romancier que, fort heureusement, il les décrit. Mais c'est donc au romancier que l'on peut reprocher de n'avoir pas vu dans quelle mesure limitée de tels sentiments sont partageables. Je songe, par exemple, à toutes les pages sur les noms de pays. Tout ce qu'un nom peut évoquer pour chacun de nous par sa seule sonorité est aussi peu obligatoire pour autrui que les états où nous mettent les couleurs. Apprendre qu'un ami est jeté dans les convulsions par le violet, même si c'est pour lui une expérience très intense, ne saurait jamais nous inspirer qu'un léger ennui. Je saute souvent bien des pages, lorsque je sens venir un de ces bateaux proustiens, voguant sur les flots de la « mémoire involontaire ». Et, pourtant, cette mémoire, c'est bien en elle qu'il a vu la source et la nouveauté de son œuvre. Remarquons toutefois qu'il ne la fait intervenir expressément, qu'il n'y pense, que lorsqu'il se tourne vers lui-même, et évoque non pas un événement, mais un sentiment qui le détache de cet événement, comme il s'en était détaché déjà au moment même. C'est à se demander si le salut littéraire de Proust, qu'il a toujours cru dépendre d'un retour en lui-même, n'est pas venu, au contraire, des instants où il s'oubliait lui-même, lorsque enfin il n'était plus, devant l'écran vierge, que spectateur et réalisateur du film à la fois. Car nul n'a su aussi brillamment dire les hommes, sauf peut-être Montaigne. Nul n'a su aussi énergiquement les mettre en scène, nul n'a fixé comme lui tout ce qui chaque jour nous échappe parce que nous sommes incapables de le raconter, nul n'a mis avec autant de régularité dans le mille, sauf peut-être Saint-Simon. Mais, tout en n'étant pas aussi fanatiquement visionnaire du réel que Saint-Simon, Proust le dépasse par l'intelligence qu'il en acquiert ; il est plus subtil, plus varié, plus généreux que lui dans la sensibilité, et il atteint ainsi à ces vérités morales que Saint-Simon, dont la merveilleuse frénésie rétinienne sollicite en vain l'esprit obtus, manque par exaspération.

Proust, en tout cas, n'est en aucune façon un romancier d'analyse. Il y a roman d'analyse lorsque c'est l'analyse qui remplace ou même crée le fait. Or, l'analyse proustienne est toujours une réflexion sur des événements *qui sont arrivés*. Dans la *Recherche*, les parties consacrées sans coupure au récit des faits, aux descriptions, au compte rendu des conversations sont facilement séparables des réflexions qui les commentent, et plus encore des pensées sur la vie en général qui peuvent en sortir. Aujourd'hui, on attribue rétrospectivement à Proust le mérite d'une révolution formelle du roman (expression qui signifie sans doute une révolution de la forme du roman). A vrai dire, je vois mal en quoi elle consiste, et j'attribuerais plus volontiers à Proust le mérite plus rare d'une révolution de la matière de la littérature. Avant la guerre de 1939, du reste, on reprochait précisément à Proust le contraire : de n'avoir pas trouvé une forme nouvelle, adaptée à ses trouvailles de contenu. Esthète, lettré européen, mandarin resté fidèle à une forme classique, il n'avait pas osé faire jusqu'au bout sa propre révolution, son suicide littéraire n'était qu'un suicide « à la petite semaine », écrivait Sartre, lui opposant Faulkner et les romanciers américains en tant qu'écrivains révolution-naires[1].

Aujourd'hui, alors que les prouesses techniques des Américains ont usé leur pouvoir de saisissement, n'est-il pas devenu presque évident que les romans de style faulknérien ou à la Dos Passos sont beaucoup plus arrangés, plus « littéraires », plus esthètes que le roman proustien ? Ces romans font partie désormais de l'histoire de la littérature, ils représentent un « moment » du roman, celui de la réaction, précisé-ment, contre le roman d'analyse. Mais Proust se moque bien de l'histoire du genre roman. Pourquoi supprimerait-il, de parti pris, ces longues méditations à demi organisées, et aussitôt désorganisées, ces hésita-tions, ces interprétations, ces redites intérieures qui, en effet, nous accompagnent partout, et qui suivent par exemple le départ d'un être que nous aimons, ou sa mort ? Et pourquoi leur donnerait-il la forme toute littéraire du « monologue intérieur » puisqu'il est bien évident que, dans la réalité, elles n'ont pas cette forme, qu'elles sont même passablement élaborées et bien exprimées, et qu'il est faux, ou rare, que nous pensions en style télégraphique ? Que son livre soit un roman fondé sur des souvenirs, ou des mémoires pleins de faits romancés ou imaginés, pourquoi se priverait-il de ressasser ce qui lui est arrivé et de dire longuement ce qu'il en pense, du moment que ça commence par *arri-ver* ? Le roman behavioriste est un artifice littéraire au même titre que le roman qui se veut purement inté-

1. *Situations* I.

rieur. Comme l'a admirablement montré Sartre lui-même, tous deux sont des œuvres d'art, des stylisations du réel, c'est-à-dire des mensonges[1]. Nous ne vivons ni uniquement par nos gestes, ni uniquement dans nos pensées, ni seulement devant les événements et les spectacles qui se présentent à nous. Proust, malgré sa volonté de faire une œuvre d'art, semble avoir préféré, sur ce point, la vérité à l'art. En ne parlant jamais qu'en son propre nom, en ne faisant sur la vie inté-rieure des autres que des suppositions légitimes, il a montré l'inextricable et constant entremêlement de l'intérieur et de l'extérieur, c'est-à-dire l'impossibilité — toujours sur le plan de l'exactitude, et non pas esthétique ou poétique — de les isoler l'un de l'autre. La coexistence des sphères les plus diverses est chez lui la règle, comme elle l'est dans la vie. Proust ne choisit pas, il raconte.

Une des principales caractéristiques du roman d'analyse, comme du roman faulknérien ou du roman hémingwayen, qui en est l'antithèse, est l'uniformité du style, les événements et les personnnages n'exis-tant, dans les deux cas, que par la vertu d'une tension artistique, par leur traduction en une forme. Chez Proust, au contraire, chaque personnage parle à sa manière, il y a le langage de Bloch, celui de M. de Norpois, celui de Swann, celui de M. de Charlus, celui de la duchesse de Guermantes, celui de Saint-Loup, celui de Brichot, celui de Cottard, celui de Mme Ver-durin, de Saniette, de Françoise, d'Aimé, de Jupien, de Legrandin, de Gilberte, d'Odette, etc., aussi subs-tantiellement différents entre eux qu'ils le sont du

1. *Id.* dans *François Mauriac et la liberté.*

langage de l'auteur. Il ne s'agit pas seulement ici de
cette idée souvent énoncée par la critique à propos des
grands romanciers et des grands auteurs dramatiques,
qu'ils ont le talent de rendre leurs personnages « indépendants de leur créateur » et de les faire vivre par
eux-mêmes dans notre imagination. Chez Proust, il ne
s'agit pas seulement de cela. Il ne nous est pas seulement possible de faire marcher et parler dans notre
imagination Charlus, Norpois, Cottard, Morel,
Swann, il est de plus étonnant de voir à quel point ils
sont différents entre eux dans les moindres détails.
Indépendants de leur scénariste et de leur spectateur,
ils le sont aussi *les uns des autres*, et non point en vertu
de la seule diversité de leurs biographies respectives,
mais en eux-mêmes. Chez Balzac, les personnages
diffèrent tous par leurs histoires, mais sont tous du
même trait. Chez Proust, aucune histoire n'est vraiment distinctive de tel ou tel personnage : leurs histoires pourraient se ressembler toutes, ils n'en différe-
raient pas moins entre eux, par eux-mêmes, par leur
étoffe. Tous les personnages de Balzac parlent Balzac,
et on ne peut pas considérer le grossier patois typogra-
phique de Nucingen ou de Gobseck comme un langage
original. Chez Molière, Harpagon et M. Jourdain ont
chacun leur personnalité unique, mais cinq lignes de
n'importe laquelle des répliques de l'un ou de l'autre
sont avant tout cinq lignes de Molière. Chez Proust ce
n'est pas seulement un vocabulaire, une syntaxe, un
système de métaphores, une diction qui sont inventés
ou reconstitués de toutes pièces, c'est une manière de
penser, de sentir, une manière d'être. Supposons que
toute la *Recherche* vienne à être détruite, et que l'on
n'en retrouve que vingt phrases de Bloch, vingt de

Norpois, vingt d'Aimé, etc., il serait difficile de se douter qu'elles ont été écrites par la même plume. Ce ne sont pas seulement des centaines d'expressions et de tournures propres à chacun de ses personnages que Proust trouve, c'est aussi ce que ces gens disent, le contenu, bien à eux, de leur pensée. Avec quelques dispositions, nous pouvons facilement imiter les manières de dire et d'agir des gens, mais si nous cherchons à mettre cela sur le papier, nous restons vite court, parce qu'il nous manque la matière première qu'eux seuls peuvent fournir, à savoir leurs idées. Proust arrive à faire parler et agir chaque personnage dans son style, mais chaque fois sur des sujets et dans des circonstances différentes, de sorte que, comme dans la Comédie italienne, chacun reste fidèle à son type tout en s'improvisant lui-même ; et en nous faisant la « surprise » de se surpasser, il se confirme. On ne voit pas seulement à l'œuvre, dans la *Recherche*, le pasticheur exceptionnellement doué, car, en pastichant, nous imitons un auteur dans ce qu'il a déjà dit, de même que nous parodions un ami dans des circonstances où nous l'avons déjà vu. Mais il est rare de pouvoir construire entièrement un personnage qui pense, parle, agit autrement que nous, et qui pourtant ne porte pas la marque de fabrique de l'auteur avec autant d'évidence que la portent les héros de Balzac ou de Molière. Le personnage devient réellement cette sorte d'imprévu palpable que seule la vie courante nous ménage d'ordinaire, et non la littérature, car un tel imprévu n'est pas une exaltation de l'imagination mais son apaisement grâce à quelque chose qui vient du dehors et qui l'occupe sans tension de sa part, nous plongeant ainsi dans cette fontaine de jouvence si rarement accessible qu'est, pour quelques heures, l'absence totale d'ennui. Quand nous connaissons bien les gens, ce qui nous passionne, c'est ce qui leur arrive chaque jour. Avec Proust, nous brûlons d'envie de « savoir » ce qui s'est passé chez un tel, tel soir. Lorsque nous sortons avec lui, nous savons que nous allons trouver « autre chose ».

Proust est avant tout cela : l'inépuisable présentateur de ce qui est totalement extérieur, de ce qui vient du dehors. On ne s'en est pas toujours aperçu parce que, précisément, ce qui est extérieur se présente à nous, chez lui comme dans la vie, tout pénétré de réflexions, d'appréciations et de considérations, alors que le roman « moderne » nous a habitués au faux extérieur, qui consiste à raconter des données subjectives et semi-oniriques dans le langage des faits divers.

Le goût qu'a Proust du réel dans tout son détail explique que la *Recherche* se décompose en vastes fragments. S'il lui faut plusieurs centaines de pages pour raconter une soirée, c'est qu'il en vit intégralement chaque instant et chaque aspect depuis l'arrivée jusqu'au départ. On a dit que le roman proustien est une continuité. Il est étrange que l'on répète, depuis quarante ans, les mêmes phrases au sujet du bouleversement de l'expérience du temps par Proust, au sujet de la continuité du temps proustien, de l'importance du passage du temps dans l'œuvre de Proust, sur la foi, il est vrai, des affirmations philosophiques de l'auteur lui-même, alors pourtant qu'il suffit de lire la *Recherche* en y voyant un roman et non point seulement des dissertations agrémentées d'exemples « concrets »,

pour s'apercevoir que, mis à part quelques hors-d'œuvre théoriques et quelques déclarations de principe du
reste assez creuses, le temps ne joue, dans le récit, dans
la *marche* du récit, aucun rôle. Ou plus exactement il
n'y a pas du tout de marche du récit, pas la moindre
progression continue, jamais le plus petit sentiment du
passage du temps. Nous sommes toujours au présent.
Le narrateur vit au jour le jour. En fait, la *Recherche*
est une juxtaposition de demi-journées et de soirées,
dont certaines sont séparées par plusieurs années. Le
narrateur y consacre moins de pages à raconter dix de
ces années qu'un seul déjeuner dans la salle à manger
du Grand-Hôtel de Balbec. Ici encore, comme avec sa
philosophie du souvenir, Proust brode un peu sur son
œuvre en ajoutant à son récit une philosophie du
Temps. Alors que, chez Balzac, Tolstoï ou Zola, on
assiste à d'effectives évolutions, jour par jour et heure
par heure ; qu'un mois, une semaine, une « journée »
peuvent être décisifs pour Rubempré, Birotteau ou
Rastignac, Proust au contraire est le peintre de l'immobilité. Il n'est lui-même que quand il oublie le
Temps, quand il *est* simplement dans le salon de Mme
de Villeparisis ou dans le restaurant où il dîne, un soir
de brouillard, avec Saint-Loup. Chez lui, les personnages ne changent jamais : ils ont changé. Ils opèrent des
« rentrées » stupéfiantes. Si quelque chose ressort de
la *Recherche*, c'est bien que nous n'avons jamais directement conscience du temps.

On sait à quel point Proust a été frappé par l'idée
balzacienne de faire réapparaître certains personnages d'un roman dans un autre. Il a dit (on pourrait
presque écrire « chanté ») la joie qu'à dû éprouver
Balzac le jour où il s'est aperçu que divers romans

publiés par lui pouvaient être reliés entre eux. **Dans un**
essai sur Balzac, à propos de la fameuse rencontre,
dans *les Illusions perdues*, de Carlos Herrera et de
Rubempré, sur la route, au petit matin, devant les
ruines du château de Rastignac, Proust parle de ce
« rayon détaché du fond de l'œuvre » qui vient se
poser, alors, sur les deux personnages, ou plutôt sur les
trois, car Rastignac est invisiblement présent[1]. Mais
les personnages à apparitions multiples n'ont pas la
même fonction chez Balzac et chez Proust. Le roman
balzacien est activiste. (Pour le roman balzacien lui-
même, c'est évident, puisque c'est du roman d'aven-
ture. Mais on peut le dire de la plupart des grands
romans du XIXᵉ siècle, dans lesquels les événements
qui transforment les situations portent sur le fonde-
ment même des destinées.) Au contraire, chez Proust,
aucun changement fondamental ne se produit pour M.
de Charlus du fait que, devenu amoureux de Morel, il
fréquente le salon de Mme Verdurin, salon où il eût été
inconcevable auparavant qu'il avançât ses « augustes
orteils ». Cet événement « mondain » n'apporte précisément pour cela rien de neuf qu'un éclairage supplémentaire sur un personnage. C'est un projecteur, ce
n'est pas une transformation effective. Proust répète
très souvent que, dans la vie mondaine, il ne se produit
jamais rien. (Sainte-Beuve, dit-il, dépense des trésors
de subtilité pour analyser les différences d'atmosphère
et de psychologie entre les divers salons littéraires,
sans parvenir à nous faire sentir entre eux la moindre
différence, et il ne démontre ainsi, à son insu, qu'une
seule chose : le néant de la vie de salon.) Les seuls

1. *Contre Sainte-Beuve*, p. 219.

changements réels qui atteignent les gens chez Proust, sont les changements indirects qui proviennent de la guerre, des morts, des pertes de fortune, cependant que la vie, du point de vue de ceux qui la vivent, conserve un contenu statique, souvent même répertorié une fois pour toutes au départ. Là encore, quelle étrange insensibilité à l'évolution des humains et à la richesse imprévisible de l'avenir, de la part de notre prétendu grand romancier de la temporalité ! Alors que, chez les romanciers anglais que Proust, précisément, admirait, George Eliot ou Thomas Hardy, on sent, chapitre après chapitre, l'écoulement même du temps biographique, lent et constant, alors que chez Flaubert, on sent sous l'apparente et monotone régularité de la vie quotidienne les continuels glissements de terrain qui déplacent les supports mêmes des existences, le narrateur de la *Recherche* ne nous présente que des portraits successifs de ses personnages, rencontrés fortuitement à dix ou vingt ans d'intervalle. Il est, chaque fois, considérablement « surpris » de constater que les visages et les situations ne sont plus tout à fait les mêmes dans tel salon que lorsqu'il y pénétra pour la première fois, trente ans auparavant. Lui-même ne s'aperçoit qu'indirectement qu'il a vieilli lorsqu'à un âge que l'on peut supposer voisin de la quarantaine, il suscite l'hilarité des témoins parce qu'il a dit à Gilberte de Saint-Loup, qui lui propose un dîner en tête à tête : « Si vous ne trouvez pas compromettant de venir dîner seule avec un jeune homme[1]. » Un psychanalyste dirait sans doute que c'est là une preuve d'attachement à l'enfance... Le narrateur affirme implicite-

1. III, 931.

ment : « Il est incompréhensible que je puisse avoir quarante ans, c'est irréel. » Il s'étonne comme de métamorphoses extraordinaires des changements les plus paisiblement normaux et prévisibles survenant chez les autres, et demeure « surpris » devant eux, imitant le public et les journaux qui sont chaque année « surpris » par le retour des grands froids ou des grosses chaleurs, comme s'il s'agissait de cataclysmes contre nature justifiant l'insuffisance de l'approvisionnement en charbon ou en glace. Emmanuel Berl remarque, dans *Sylvia*, que les vieillards de la *Recherche* n'ont jamais l'air de vrais vieillards : ce sont des jeunes gens grimés. Ils se caricaturent eux-mêmes. Bloch « prend la tête » de son père. On est un vieillard ou on ne l'est pas — ainsi le grand-père du narrateur en est un, parce qu'il l'est dès le début —, mais si on n'en est pas un, on ne peut jamais le devenir. Pourtant, le vieillissement survient par à-coups, irrationnel, injustifié et, somme toute, injuste. Chose curieuse, cet éventuel attachement à l'enfance ne nuit pas du tout chez Proust à l'extrême maturité de la pensée, et n'empêche pas l'élimination radicale des naïvetés psychologiques de l'adolescence, lorsqu'il s'agit d'expliquer les sentiments et les actes. Néanmoins, Proust n'a pas eu l'art, comme Montaigne, ni la force de se réconcilier avec l'idée que le temps passe et que nous vieillissons. Le jour où il l'accepte est aussi le jour où il accepte non pas de vieillir, mais de mourir. En attendant, c'est toujours dans le cadre d'un moment immobile que l'on découvre que l'on « a vieilli » que le temps « a passé », que tout « a bien changé », que Saint-Loup « a rompu » avec Rachel, que par la même occasion, il « n'aime plus » la littérature et « n'est plus » dreyfusard. Aussi la réapparition d'un personnage a-t-elle en général pour but de détruire une légende plutôt que de provoquer un rebondissement de l'action. Il n'y a pas d'action. L'ensemble des personnages de Proust constitue comme un corps de ballet « qui toujours recommence ». Ils ne se bornent pas à réapparaître sous des éclairages divers, ils s'unissent. Ils finissent par ne plus former qu'un seul groupe inextricable. Le côté de chez Swann et le côté de Guermantes ne peuvent pas rester séparés ; non seulement Swann connaît depuis toujours les Guermantes mais Saint-Loup épouse Gilberte, qui a été un grand amour de Proust, dont Saint-Loup était le meilleur ami ; mais Odette, qui a été « la dame en rose », demi-mondaine entrevue chez l'oncle du narrateur, avant de devenir Mme Swann, finit par être le dernier grand amour du duc de Guermantes. Non seulement Saint-Loup devient homosexuel, mais le jeune homme dont il s'éprend est précisément Morel, l'ancienne grande passion malheureuse de son oncle Charlus, ancienne passade de son autre oncle, Sosthène, et neveu de l'ancien valet de chambre de l'oncle de Proust lui-même. Mme Verdurin devient princesse de Guermantes. Jupien est transformé en garde-malade de la sénilité de M. de Charlus après avoir été son séducteur, puis son pourvoyeur. Au cours de la dernière assemblée générale des actionnaires de la société « Recherche du Temps Perdu » — celle où les invités ont l'air de s'être « fait une tête » — tout le monde est là, y compris Rachel. Ceux qui ne sont pas là (Cottard, Bergotte, Saint-Loup, Saniette) devraient y être s'ils n'étaient pas morts : c'est cette ultime réunion qui tue la Berma lorsqu'elle apprend que sa fille et son gendre sont venus « faire du plat » à

Rachel pour se faire recevoir. Tout se mêle et s'abîme en un affreux mélange : on ne sait plus où est la jambe du prince de Guermantes, le bras d'Odette de Forcheville, et si l'on ne va pas, en tirant sur la barbe de Bloch, faire tomber le monocle de M. de Bréauté-Consalvi.

Les personnages de Proust changent ainsi sans changer. Ils changent parfois totalement sans qu'il leur soit rien arrivé de remarquable. Au contraire, il se produit parfois des transformations capitales dans leur existence, sans qu'ils changent. De chacun, on peut finalement toujours dire, comme dans la vie, qu'il « a beaucoup changé » et qu'il est « bien toujours le même ». Certes, à côté de la fixité d'un M. de Norpois on trouve la mutation inexpliquée de Saint-Loup. Mais cette mutation, à vrai dire, n'est qu'apparente : Saint-Loup était bien, de tout temps, ce que le narrateur s'aperçoit qu'il est, et un maître d'hôtel, Aimé, le lui apprend, mais jusqu'alors nous ne l'avions pas vu sous ce jour. Le changement se produit donc surtout dans les renseignements obtenus. Si certains personnages changent pourtant en eux-mêmes, c'est seulement que le temps accentue certaines tendances déjà présentes en eux, met certains traits en relief et en atténue d'autres. Ainsi, c'est en dépit et dans les limites de leur fixité de caractère et de destin que les personnages proustiens se renouvellent. Ce maître d'hôtel est toujours le même maître d'hôtel, je le retrouverai demain au même endroit, mais il se renouvellera parce que sa mimique sera encore plus savoureuse qu'hier, comme on dit d'un chansonnier qu'il « se renouvelle » tout en restant fidèle à son genre. Dans leur constance, les personnages de la comédie proustienne sont cependant imprévisibles, tels qu'en eux-mêmes une fois de plus le dîner du soir va les changer. C'est pourquoi les changements les plus importants dans la vie des gens surgissent de façon météorique et incompréhensible ; c'est pourquoi aussi les événements les plus minimes (« Bloch est reçu chez la princesse de Guermantes ») paraissent considérables, simplement parce qu'ils sont effectifs et modifient des situations concrètes. Proust se plaît, du reste, à présenter les renouvellements personnels, ceux qui ne sont pas seulement des changements dans les situations sociales (il y en a peu, ou il s'agit de personnages secondaires) comme n'ayant aucune racine dans le passé, donc non pas comme résultant d'une évolution, mais comme équivalant à la naissance d'un nouvel individu, et il les énonce négligemment, en passant, tant il répugne à se représenter le changement progressif. Ainsi Octave, surnommé « dans les choux », le jeune fêtard idiot des *Jeunes Filles en fleurs*, devient dans *le Temps retrouvé* un auteur génial dont la dernière œuvre, à laquelle le narrateur « ne peut cesser de penser », vient de bouleverser la littérature moderne ! Rien, entre ces deux apparitions d'Octave, ne permet d'établir le moindre raccord. Le temps proustien n'est pas créateur. Son rôle est, tout en apportant des changement dans les situations sociales, changements minimes mais qui paraissent capitaux aux intéressés et sont toujours constatés avec surprise par le narrateur, de *révéler* la vérité des caractères, de dévoiler ce que les hommes étaient déjà à notre insu. Albertine entrevue sur la plage est déjà tout ce que révéleront au narrateur les recherches posthumes sur ses liaisons.

Il est même curieux de constater que le récit proustien manque de tout réalisme temporel. Proust est essentiellement un réaliste dans le présent, la description, la mise en scène, l'impression, mais il cesse de l'être dans l'agencement de divers moments entre eux. L'intemporalité va parfois chez lui jusqu'à rendre impossibles en pratique les faits relatés : ainsi, l'équipée avec Rachel et Saint-Loup — déjà si longue, qui commence à la campagne, se poursuit au restaurant, se termine en cabinet particulier — se passe le même jour que la fameuse matinée chez Mme de Villeparisis, qui elle-même suffirait à meubler plusieurs semaines. L'insensibilité de Proust au temps se remarque aussi à des détails mineurs : le fameux article envoyé au *Figaro* alors que le narrateur est un tout jeune homme[1] est publié vers la fin de *la Fugitive*[2], c'est-à-dire, semble-t-il, environ quinze ans après son envoi. Entre-temps, Proust a ouvert *le Figaro* tous les matins en y cherchant son article. La narration proustienne est aussi intemporelle que l'unité de temps de la tragédie et de la comédie classiques, et elle implique comme elles l'unité de lieu ou des lieux (en très petit nombre) et l'unité dite d'action, c'est-à-dire le fait que tous les personnages se connaissent ou finissent par se connaître entre eux. Nous l'avons déjà vu, les membres du personnel de Proust se retrouvent tous réunis dans le même salon, à la fin du *Temps retrouvé*. Chacun exerce ou a exercé, d'une manière quelconque, une influence sur la vie de tous les autres. Dès le début du livre, cette réunion générale se prépare. Comme Mme Verdurin, le narrateur aime avoir tout son monde sous la main.

1. II, 347.
2. III, 567.

D'où tant d'invraisemblances, qui n'ont d'ailleurs aucune importance, et dont on ne s'aperçoit même pas à la première lecture, puisqu'il ne s'agit pas, dans le roman proustien, d'action, mais de tableaux : l'hôtel louche dans lequel le narrateur entre par hasard est tenu précisément par Jupien, et, justement, ça tombe le soir où le baron de Charlus vient s'y faire torturer[1]. Ailleurs, c'est Aimé, le maître d'hôtel du Grand-Hôtel de Balbec, qui se retrouve par hasard être celui du restaurant où déjeunent Rachel et Saint-Loup, à Paris, en compagnie du narrateur, ce déjeuner au cours duquel précisément M. de Charlus fait demander à Aimé de venir lui parler à la portière de sa voiture, arrêtée devant le même restaurant à un endroit tel que Saint-Loup peut très bien le reconnaître à travers les vitres[2]. Les coïncidences proustiennes tendent à la fois à coaguler les personnages et à aplatir les moments du temps : d'une part, Proust, s'il faut, par exemple, marier quelqu'un, lui choisira un époux parmi les éléments connus (Saint-Loup épousant Gilberte ; Octave, dit « dans les choux », épousant Andrée), d'autre part, quand il faut que des événements nouveaux se produisent, il les entassera en quelques lignes, pour pouvoir passer aussi vite que possible à la seule chose qui l'intéresse : un moment immobile, une soirée, un dîner. Il conjugue alors l'écrasement du temps et la multiplication des fils rattachant les personnages les uns aux autres de façon rocambolesque : par exemple, dans *Sodome et Gomorrhe*[3], M. de Charlus

1. III, 811.
2. II, 153.
3. II, 862-864.

aperçoit Morel (qu'il ne connaît pas) habillé en militaire, dans une gare, qui se trouve être celle de Doncières, ville déjà bien connue des lecteurs et où une heureuse chance a voulu que Morel fît son service. Au même moment, le narrateur traverse cette gare, M. de Charlus l'envoie chercher (c'est-à-dire aborder pour lui) Morel, qui se trouve être le neveu du valet de chambre de l'oncle de Proust (mais M. de Charlus l'ignore). Morel est violoniste et amène, le soir même, en le faisant passer pour un « parent âgé », M. de Charlus chez des gens dans la villa desquels il doit jouer justement ce jour-là. Ces gens ne sont autres que les Verdurin (que M. de Charlus ne connaissait évidemment pas), et il se trouve que Proust (qui connaît très bien le baron) était également invité à cette soirée !

Mais cette soirée, une fois tous les personnages bien enfermés derrière les fenêtres éclairées du grand salon de la Raspelière, où ils ont été ainsi amenés tambour battant et *manu militari*, cette soirée, où le narrateur est sûr qu'il ne va plus rien se passer et où chacun va pouvoir, sans bouger, être lui-même, elle est son véritable sujet — hors du temps.

Proust a donné dans une conception assez simple de la « création littéraire » ; il croit que chaque artiste « porte » en lui un monde d'images primitives, préalable à son expérience et indépendant d'elle, un « pays » secret, dit-il à propos de Barbey d'Aurevilly. Il ne voit pas que ce monde n'est dans son cas à lui, Proust, que le contrecoup en direction de l'extérieur de ce que l'« artiste » a tout d'abord découvert hors de lui, et a très largement tiré de l'observation. — Au début de la préface du *Contre Sainte-Beuve*, il trace cette phrase, étrange sous sa plume : « Chaque jour j'attache moins de prix à l'intelligence », sans paraître se douter que la conception de l'intelligence à laquelle il se réfère — l'intelligence qui divise, banalise, ne saisit que l'« extérieur » du réel — n'est qu'une conception mise à la mode de son temps : le temps de Bergson et de la réaction « anti-intellectualiste » dans toute l'Europe. C'est cette intelligence, prise donc ici dans ce sens spécial, et non point dans le sens littéral d'acte de comprendre, qui serait fatale au jugement de goût. Sa théorie de la « création » littéraire rejoint sa théorie, fruit de la mode également, de la « mémoire vraie ». Certes, Proust a administré à Sainte-Beuve la correction rétrospective la plus méritée et la plus réjouissante qui pût être. Mais s'il est exact que Sainte-Beuve a préféré Vicq d'Azyr à Stendhal, on regrette d'avoir à constater que Proust lui-même prend pour des génies Maeterlinck, la comtesse de Noailles ou Léon Daudet, et non point Max Jacob, Apollinaire ou Jarry. Certains, croyant excuser Proust, disent que ses jugements littéraires s'expliquent par l'amitié. Inutile de souligner que cette prétendue excuse l'accable encore davantage, puisqu'en outre il s'agit d'un écrivain qui tient l'œuvre d'art pour une chose sacrée, entièrement séparée de l'existence et des relations quotidiennes, et que les jugements en question sont incorporés à *la Recherche du temps perdu* elle-même. Rappelons du reste que Proust n'a vu la comtesse de Noailles qu'une ou deux fois dans sa vie, comme Emmanuel Berl l'établit dans *Présence des morts*. C'est donc sans complaisance qu'il la jugeait le plus grand poète français de son temps. Et l'on peut être, dans un autre domaine, agacé par la façon salonnarde dont il utilise les noms des grands peintres, incapable qu'il est de voir un beau visage sans parler de Mantegna ou de Carpaccio, et comparant la femme de chambre de Mme Putbus à un Giorgione. Encore une pointe de plaisanterie et un sens utile de l'analogie érotique se mêlent-ils à ce dernier rapprochement. Mais c'est avec sérieux et respect que Proust écrit : « Il (Swann) aimait encore, en effet, voir en sa femme un Botticelli. » Ces faiblesses viennent tout droit, hélas, du « monde d'images » que porterait en lui « tout grand artiste ».

Car, enfin, le caractère durable de ces grandes vérités qu'un Proust ou un Montaigne nous font connaître n'est-il pas, précisément, de pouvoir se passer d'images, alors que la plupart de nos prétendues vérités théoriques ne sont, elles, que des images qui un instant rafraîchissent notre vue du réel, avant de s'user ? Proust atteint aux vérités suprêmes lorsqu'il décrit exactement ce qui se passe.

Dans un article sur l'intentionnalité, Sartre a écrit que « nous sommes délivrés de Proust », pour la raison que nous savons maintenant, grâce à Husserl, que « si nous aimons une personne, c'est parce qu'elle est aimable ». Malgré les innombrables preuves du contraire que l'existence nous inflige, je ne chicanerai pas sur la question elle-même. Le piquant de la phrase de Sartre provient surtout de ce qu'il joue sur une double valeur de l'adjectif aimable : le sens premier et le sens courant. Dans le premier sens, « qui est digne d'être aimé », il s'agit d'une thèse discutable, et ancienne ; dans le second sens : « qu'on aime, qui plaît », d'une vérité de La Palice ou d'une constatation de fait. Mais surtout l'intentionnalité, elle, n'est vraiment qu'une image[1]. Certes les métaphores « intérioristes » de Proust, elles aussi, ne sont que des métaphores : mais elles sont heureusement accessoires, car on peut négliger les métaphores, étant donné que Proust nous a dit, d'abord, comment tout s'est passé effectivement, qu'il a suivi le fil des faits.

Sans doute ces faits, à l'état pur, le frappent à tel point, lui si prompt à rassembler tous ses personnages dans la même pièce, comme s'il n'y avait au monde qu'une seule salle à manger, celle du Grand-Hôtel de Balbec, qu'il s'étonne naïvement, d'autre part, quand il s'agit de l'amour, de coïncidences apparentes, des « hasards » de l'existence : si Swann n'avait pas connu son grand-père, si Swann n'avait pas été amateur d'art, s'il ne lui avait pas parlé de l'église de Balbec, s'il ne lui avait pas dit que cette église aurait pu être en Perse, si une société n'avait pas décidé au même moment de construire à Balbec un hôtel confortable, il n'aurait pas connu Albertine et Albertine ne se serait peut-être pas tuée dans un accident de cheval.

Ces coïncidences, qui semblent toujours avoir favorisé la naissance des sentiments, sont toujours apparentes, puisque précisément alors ces sentiments n'étaient pas encore nés. Ces hasards n'en sont pas : ce sont de simples faits. Car il faut bien que quelque chose arrive, et tout arrive ainsi. Pour que nous descendions dans un hôtel, il faut bien que quelqu'un nous en ait donné l'adresse. Proust n'a pas tort de penser, mais tort de trouver surprenant que si Mme de Stermaria ne

1. *Situations* I, p. 34. *Une idée fondamentale de Husserl : l'intentionnalité.*

s'était pas décommandée le soir où il devait dîner avec elle dans l'île du Bois, elle eût peut-être joué dans sa vie le rôle pris par Albertine. Mais l'étonnement du narrateur, fruit légitime des retours en arrière d'un homme qui mesure la disproportion éclatante entre les débuts anodins d'une passion et ses suites, entre le moment où les événements qui la constituent ne se distinguent encore pas des autres faits quotidiens et le brusque essor qui, avec une puissance imprévue les en a arrachés, nous a fait vivre sur deux niveaux à la fois — cet étonnement est un *épisode du roman*, ce n'est pas une *théorie* sur la naissance contingente de l'amour. Au reste, nous n'avons pas besoin de lire Proust pour avoir des théories sur l'amour. Il n'est personne qui en manque, hélas ! Mais, par contre, ce que nous ne pouvons pas trouver tout seuls, c'est la vérité des détails.

Ce souci de la vérité des détails fait souvent dire de Proust, comme de Montaigne, que c'est un auteur superficiel ou mondain. « Mondain » est un reproche qui a dû amuser Proust, lui qui a montré l'idiotie, la grossièreté et l'ennui de la vie mondaine, si bien qu'après l'avoir lu on perd rétrospectivement toute confiance dans l'atmosphère réelle qui devait régner dans les salons les plus « brillants » du XVIIIe siècle, par exemple, et qu'on se rend compte du fait que le « monde » n'a jamais été et ne peut être qu'un mythe. Certes, Proust a, lui aussi, ses défaillances : la princesse de Parme, lorsque, chez la duchesse de Guermantes, les dames s'avancent devant elle pour se mettre à genoux, comme on doit le faire devant une Altesse, les relève, feignant la surprise, leur caresse la

joue et les embrasse. Et Proust commente à peu près
ainsi : je me demande comment la politesse pourrait
exister dans une société égalitaire, puisque l'absence
de devoirs à rendre à un supérieur empêcherait la
naissance d'une politesse aussi exquise que celle de la
princesse de Parme[1]. Se moque-t-il ? Car comment
évoquer la *politesse* à propos d'un cérémonial si vide et
dépourvu de signification, d'une suite de singeries si
affligeantes, puisqu'on sait qu'elles ne correspondent à
aucune « supériorité », à aucun « devoir », à aucune
« gentillesse » réellement existants et qu'ici la
« bonté » du prétendu supérieur n'est encore qu'une
façon pour lui de sentir et de faire sentir sa prétendue
supériorité ? La politesse, qui est le ménagement d'autrui, que nous nous imposons même s'il n'est pas notre
ami — ou même s'il l'est — n'a-t-elle pas besoin au
contraire, pour avoir un sens, de l'égalité des individus ? Et que la vraie politesse ne puisse porter que sur
ce qui est facultatif, Proust le fait assez voir partout
ailleurs.

Mais certains tiennent Proust pour un auteur mondain dans une tout autre acception, c'est-à-dire non
point seulement parce qu'il ferait preuve de complaisance à l'égard de la vie mondaine, mais parce qu'il
traiterait de la vie, et non du sens de la vie ; des
surfaces et non des profondeurs ; des apparences, et
non des racines de l'homme, ou de ce qui le dépasse-
rait. Pour certains, est profond celui qui élabore le plus
économiquement possible une théorie métaphysique.
Accumuler la matière des détails, sans la résumer
jamais d'un trait général qui se retienne, ne pas cesser

1. *Le Côté de Guermantes*, II, Chap. II.

d'ajouter une observation à un récit, et un récit à une observation, sans jamais en faire la synthèse, sans même la permettre, mais négliger le résumé et l'interprétation pour courir au détail nouveau qui les ajourne l'un et l'autre sans relâche, n'est-ce pas manquer de curiosité d'esprit, n'est-ce pas se complaire dans le vain papillotement des remarques à bâtons rompus, dans le pot-pourri superficiel de l'imprévisible et harrassante diversité humaine ? Chose curieuse, on voit souvent en Proust un auteur profond là où il ne l'est pas, dans sa théorie du temps et de la mémoire, et un chroniqueur superficiel quand il désigne avec une infatigable simplicité de regard ces merveilleux détails que lui seul sait rendre apparents.

Proust n'est pas seulement un des plus grands génies du comique qui aient jamais existé, c'est aussi l'un des hommes les plus sérieux qui soient. Proust définit dans *le Côté de Guermantes* en quoi consiste la supériorité du très grand pianiste sur le pianiste moyen. On a tendance à croire que le premier sait interpréter mieux que l'autre la sonate. Au contraire, il n'*interprète* pas — même magistralement — cette sonate, mais cesse d'exister devant elle, et par son intermédiaire la sonate parle pour son propre compte. Ainsi en est-il parfois de Proust devant la réalité. On dit souvent que Proust est uniquement psychologue et manque d'arrière-fond métaphysique. Mais « faire » de la métaphysique à propos d'une chose vécue, cela ne marque-t-il pas déjà qu'elle est en train de nous devenir indifférente ? Proust est un être trop passionné pour se détacher jamais de ce qui se produit réellement en lui ; seul le temps — même pour lui — peut opérer ce décollement, et, dès lors, ce n'est pas une « dimension méta-

physique » qui s'est « constituée », mais une autre
chose vécue qui survient. La métaphysique, érigée en
prétendue expérience directe, n'est qu'une façon de
« forcer » un peu, de rendre « intéressant » le récit de
soi qui double toute existence, et cela afin d'échapper à
l'impitoyable « au fur et à mesure » de la vie. Au
contraire, les expériences les plus riches, celles que
l'on a vécues et comprises, et qui seules font progresser
notre compréhension de nous-mêmes et des autres, ne
peuvent laisser dans l'esprit — comme il est dit longtemps après la fuite et la mort de la Fugitive — qu'une
« impression où la tristesse est encore dominée par la
fatigue ». Toute autre impression signifierait que nous
aurions ajouté artificiellement du mystère, que nous
nous serions jetés en avant de nous-mêmes, que nous
aurions anticipé sur un rôle futur ou inaccessible, inter-
prété notre vie présente pour essayer de nous distraire
un peu ; que donc nous ne parlerions plus de ce que
nous savons vraiment. Mais la compréhension affective, lorsque nous y atteignons, devient alors si bien
notre évidence, coïncide si exactement avec nous-
mêmes que, précisément, elle ne peut nous paraître
que banale et nous laisse de nouveau seuls avec nous.

Rien de ce qui est vraiment nôtre n'est exaltant,
n'est élevé, n'est métaphysique : ce sont là des expressions dont on se sert du dehors. Nous n'avons de
prétendue « révélation » d'une réalité que lorsque
nous n'avons pas de contact permanent avec elle. C'est
alors que « nous sommes attirés par toute vie qui nous
représente quelque chose d'inconnu, par une dernière
illusion à détruire[1] ». Illusion, pourquoi ? Non pas

1. II, 567.

que cette vie que nous découvrons doive être nécessairement inintéressante. L'illusion est bien plutôt celle-
ci : que cette vie que nous ambitionnons d'approcher,
de comprendre ou de vivre nous-mêmes, pourrait
continuer à ne pas être la nôtre tout en étant vécue par
nous, pourrait garder l'attrait et le mystère de ce qui
nous est étranger tout en devenant notre vie quotidienne. Inversement, le mensonge métaphysique
consiste à feindre de croire que reste à demi inconnue
l'existence qui est pourtant la nôtre, à lui prêter le
mystère attirant de la vie d'un personnage que nous
feignons de ne connaître que de loin, comme nous
pouvons le faire, même malgré nous, quand nous parlons de nous et confessons notre vie à une autre personne, moins pour l'en instruire que pour la séduire.

Mais s'il évite la métaphysique par exaltation,
Proust ne tente pas non plus d'obtenir un effet métaphysique par dépression, en stylisant à l'excès l'insignifiance affreuse de la vie, comme souvent l'a fait Flaubert. Car tout serait de nouveau trop clair, et le chemin
de la vérité bien trop facilement indiqué, si nous étions
tous des *Cœur simple*, des Bouvard et des Pécuchet.
Vouloir décrire l'expérience des hommes en la pur-
geant de toute la connaissance *parfois* vraie (et là est la
difficulté) que nous en avons est tout aussi artificiel,
encore que Flaubert en tire un parti poétique boule-
versant, que de s'imaginer l'homme sous les traits du
héros dostoïevskien décervelé par le sacré. Proust n'a
pas eu de goût pour les constructions, les gauchisse-
ments, les bonds injustifiés, les invocations abusives. Il
n'établit jamais de rapports entre deux choses qui n'en
ont pas entre elles. Je ne connais pas de plus belle
méditation sur l'absence, sur la mort et sur l'oubli que

la Fugitive ; de plus transparente, patiente, souple, sincère et précautionneuse constatation d'effets réels. La métaphysique, si ça existait, ce serait cela, ce serait cet approfondissement sur le vif, cette absence de chiqué, de complaisance ; cette modestie, cette manière calme de se présenter de front à un certain nombre d'éclairages, où il y va du sens de la vie, et qui tombent d'eux-mêmes sur nous, notre seule action étant de ne pas les fuir. Proust n'appartient pas à la catégorie des quinquagénaires surchauffés, des adolescents de la onzième heure, qui annulent brusquement, par une stupidité monumentale, ce qu'ils ont pu dire auparavant d'intéressant. Lui, au moins, on est sûr qu'il ne va pas se mettre tout à coup à faire du yogisme, à « pleurer et à croire », à s'éprendre du bouddhisme zen, de la relativité généralisée, d'Héraclite, à adhérer à la Section d'Or, à la mécanique ondulatoire, ou au Réarmement moral. Il garde en réserve l'hystérie pour le domaine où elle est à sa place : celui de la vie quotidienne et des rapports amoureux, mais la bannit de son œuvre, où il devient le plus sain des hommes. La *Recherche du temps perdu* est jusque dans ses faiblesses un des rares livres qui offrent l'exemple d'une pensée totalement adulte.

Dans sa psychologie de la vie quotidienne, ou, disons, sa compréhension des êtres humains et dans l'interprétation des motifs de leurs actes, Proust semble se contenter parfois d'explications soit trop faciles, soit trop compliquées, et cela tient peut-être à ce que tous ses personnages sont des oisifs. Nous chercherons dans le chapitre suivant quelle est la fonction probable de cette oisiveté dans le roman. Le caractère immobile, intemporel, de la *Recherche* s'en trouve, en outre, renforcé, puisqu'elle est peuplée d'une foule de personnages qui n'entreprennent jamais rien. Seuls y sont aperçus au travail, les domestiques et les médecins de luxe. La troisième catégorie de gens actifs à y jouer un rôle est celle, bien entendu, des grands créateurs. Mais, étant donné la conception proustienne de la création littéraire ou artistique, nous ne sommes jamais témoins de leur travail, nous ne pouvons pas l'être, par définition. Le travail d'Elstir fait exception, l'après-midi où le narrateur observe le peintre exécutant une toile. Encore s'agit-il d'un Elstir arrivé, dont le but est déjà atteint, qui applique ce qu'il a inventé et dont le talent ne se renouvellera plus. Bergotte ne montre de lui que l'homme du monde, Vinteuil, le petit bourgeois timoré et persécuté. Le génie du premier appartient à l'histoire, celui du second à l'avenir, aucun des deux à la vie quotidienne. L'activité artistique, qui est selon Proust, en définitive, la seule qui justifie la vie humaine, est présente partout dans la *Recherche* mais en filigrane. Sans doute certains personnages de la *Recherche* exercent-ils une activité régulière, ont-ils un métier — Saint-Loup est officier, le père Bloch financier, M. de Vaugoubert ambassadeur, etc. — nous ne l'apprenons qu'incidemment et c'est toujours dans leurs heures oisives que nous les voyons. S'ils travaillent, on a l'impression que c'est « au-dehors », clandestinement, comme ces veuves de petits employés, tombées dans une gêne extrême, et qui vont « faire des ménages » loin de leur quartier, pour que leurs voisins n'en sachent rien. Si on excepte les « créateurs », dont le travail est au-dessus du travail ordinaire, on constate que les gens qui travaillent officiellement chez Proust, par exemple le père même du narrateur, sont les personnages les plus falots du roman, comme du reste les gens totalement sympathiques, qui sont assassinés d'éloges sans restriction en deux ou trois lignes et disparaissent à tout jamais du texte[1]. Mais observons que tous les autres personnages, s'ils sont oisifs, n'en sont pas moins extraordinairement occupés. Les journées de Charlus sont aussi remplies de calculs et de manœuvres que celles de Napoléon. Or, c'est dans cette agitation contradictoire que s'épanouit le gibier favori de la pénétration proustienne. Son terrain est celui de la comédie que l'homme se joue à lui-même pour se rendre intéressant — même lorsqu'il est réellement intéressant. Ainsi, Charlus cherche à se rendre intéressant, alors qu'il l'est, mais qu'il l'est à son insu et évidemment pour d'autres raisons que celles qu'il souhaite. La lucidité pourrait se définir, d'après la leçon de Proust : se savoir intéressant ou inintéressant pour les raisons qui font qu'on l'est réellement. Même un homme qui travaille quinze heures par jour peut éprouver le besoin de mimer de surcroît sa propre activité, dans le but de conférer à sa vie une importance, de la présenter aux autres tout en la vivant, sous la forme d'une histoire racontée et par conséquent stylisée. Être très actif n'empêche donc pas de se conduire en oisif, et il existe chez tout homme une activité essentielle qui le porte, fût-il placé dans les circonstances les plus harassantes,

1. Par exemple, l'exquis, parfait, gentil Luxembourg-Nassau, personnage qui n'existe dans la *Recherche* que par cette mention (II, 539).

à distraire toujours une parcelle de l'énergie indispensable à l'entretien, au salut même de sa vie, pour la consacrer à jouer un personnage. Seulement les personnages de Proust représentent cette comédie à l'état pur, puisque ce qui, pour eux, est important, « capitalissime », coïncide très exactement avec le vide total. Saint-Simon décrit aussi des oisifs, mais il ne les juge pas en tant que tels, car lui, il croit en l'aristocratie. Aussi la cruauté de Proust n'est-elle pas, comme celle de Saint-Simon, de la méchanceté, ni même de l'indignation morale, au reste souvent justifiée chez Saint-Simon. On n'a pas de scrupule à monumentaliser les ridicules des gens lorsque ce qu'ils font n'a réellement aucun sens. L'oisiveté des personnages de la *Recherche* n'est donc pas une circonstance sociale accidentelle, elle est moins le fait d'une classe particulière que le fond nécessaire à l'apparition des aspects de l'homme que décrit Proust. C'est là le *sujet* de Proust. Et qu'est-ce qu'un grand écrivain sinon celui qui trouve un sujet ?

Ayant montré que la noblesse n'est en somme qu'une section de la haute bourgeoisie, et caractérisée au sein de celle-ci par de simples manies et obsessions supplémentaires, Proust sait profiter de ce que l'oisiveté apporte d'hypertrophie à ces manies. Ainsi, il oppose l'attitude paisible et réservée du prince de Borodino — appartenant à la noblesse d'Empire, qui a exercé dans un passé relativement récent des fonctions effectivement importantes dans l'État — au ballet dérisoire que danse pour elle-même l'aristocratie d'Ancien Régime qui a héréditairement perdu tout souvenir de ce que peut être une responsabilité. Cela explique bien rétrospectivement la naïveté et l'incompétence d'un

Chateaubriand, d'un Polignac, d'un Chambord, lorsqu'un accident les mettait en contact avec la politique active. Quant à la politique passive, la noblesse, comme on le voit pendant l'affaire Dreyfus, joue simplement le rôle d'aile la plus réactionnaire de la haute bourgeoisie. Proust détruit une fois pour toutes la vieille légende : car la médiocrité fondamentale de la duchesse de Guermantes et sa méchanceté sont une des plus accablantes conclusions du livre. Seul échappe à la médiocrité un Charlus, et cela par effet de sa folie, à laquelle le baron doit cette « étroite brèche qui donne jour sur Beethoven et sur Véronèse[1] ». Mais Charlus, « génial » quand il parle, s'il avait écrit eût sans doute composé de fades romans sentimentaux au lieu de ce délicieux répertoire de termes dont l'eût rendu capable son sens supérieur de la langue, joint à sa prodigieuse mémoire verbale — « Génial Charlus » — et d'ailleurs méconnu des mondains, précisément en ce qu'il a de génial.

Comprendre les autres au jour le jour relève de la préoccupation essentielle de Proust : la vérité. Si cette recherche semble se terminer par un échec ou du moins par une sorte de lassitude, c'est que Proust a su refuser sur ce point-là toute théorie brillante qui fût venue empanacher ce dont il était sûr, et qu'ainsi les vérités qu'il a apprises s'incorporent si bien à sa manière habituelle de voir qu'elles n'ont plus rien de séduisant pour lui et se confondent avec l'évidence du quotidien. Peut-être pourrait-on du reste, à la suite de Proust, définir la maturité comme la capacité d'avoir une vie quotidienne aussi exempte de dépression que

1. III, 206.

d'exaltation, ou plutôt, dans laquelle l'exaltation et la dépression ne soient pas les seuls moyens d'éviter l'ennui. Notamment, Proust est le premier et jusqu'à présent le seul grand écrivain de toutes les littératures qui soit absolument a-religieux. Il n'est même pas anti-religieux. Il ne cherche pas à combattre la religion au moyen d'une métaphysique qui en épouse les contours tout en la réfutant, et pour la nier fasse appel en l'homme aux dispositions mêmes dont la foi se nourrit. Il est d'emblée au-delà de tout préjugé, n'est suspect d'aucun arrière-goût de transcendance ou de morale, ce qui l'exempte de rechute comme d'agressivité de compensation. Il ne combat pas plus qu'il ne profane (Voltaire combattait, Sade profanait) : il ignore. Alors que l'unique sujet d'un Gide reste le conflit entre un surmoi encore tout imprégné de morale traditionnelle et la liberté (« je suis un petit garçon qui s'amuse doublé d'un pasteur protestant qui l'ennuie »), Proust commence au point où le souvenir même d'un conflit est déjà relégué dans la préhistoire. Il peut ainsi aborder de plain-pied le problème peut-être le plus important à ses yeux : celui de la nature réelle, et de la vérité possible, de nos rapports personnels avec les autres êtres humains. « Comment a-t-on le courage de souhaiter vivre, comment peut-on faire un mouvement pour se préserver de la mort, dans un monde où l'amour n'est provoqué que par le mensonge[1] ? »

Dans cette société qu'il nous peint et où dès qu'il s'agit de vérités morales, la plupart des hommes veulent moins savoir qu'ils ne veulent se justifier, où ils sont tourmentés sans être inquiets, nerveux sans être

1. III, 94.

réellement préoccupés, où ils ne perçoivent dans l'acte d'apprendre que le fait déplaisant d'avoir ignoré, où chacun s'accuse volontiers d'une erreur pour mieux éviter de recourir aux moyens de ne plus avoir à la commettre, où seule l'indifférence engendre l'impartialité et la rend par conséquent stérile, et où le commerce d'autrui se trouve donc être, dans toute l'acception du terme, extrêmement « borné » par l'absence générale de curiosité, le narrateur de la *Recherche* nous offre l'exemple d'un homme capable de passer de longues heures à penser exclusivement à quelqu'un d'autre, — et souvent même à quelqu'un d'autre qui n'a aucune relation directe avec ses propres préoccupations immédiates.

Il est constamment partagé entre l'aspiration à une existence où autrui ne compterait presque pas pour nous et surtout ne pourrait pas nous décevoir et nous faire souffrir, et le besoin d'une existence dont le sens, au contraire, dépendrait tout entier d'une autre personne. Il a été attiré tour à tour par la fidélité à une « patrie » intérieure légèrement mythique (et il reprend à son compte la naïve distinction bergsonienne entre « moi superficiel » et « moi profond ») et le besoin de se passionner pour d'autres êtres. Seul le travail littéraire satisfera à la fois ces deux exigences, mais seulement après que, dans la réalité, Proust aura tenté de les satisfaire tour à tour l'une et l'autre sans y parvenir pleinement. On parle souvent de l'une de ces deux recherches, celle en direction de l'intérieur, celle du « vrai moi ». Mais on souligne moins souvent, parce que cela, Proust le raconte, le fait vivre et vibrer, au lieu d'en exposer le programme et d'en annoncer solennellement le principe et les bienfaits, qu'avant d'entreprendre son œuvre, la principale chose, d'un bout à l'autre du livre, dont il attende le salut, et qui guide sa vie, c'est l'amour.

S'il est absolument certain que « l'important est d'aimer », Proust n'en aboutit pas moins, et justement pour cela, à un pessimisme découragé, car en définitive toute tentative pour sortir de nous-mêmes et dépendre sincèrement d'un autre être ne peut conduire qu'à la souffrance. En effet, pour lui, aimer vraiment, c'est souffrir ; la prise de conscience de l'amour est la prise de conscience d'une souffrance, à ce moment où il est trop tard pour se reprendre : « Swann tout d'un coup aperçut en lui l'étrangeté des pensées qu'il roulait depuis le moment où on lui avait dit chez les Verdurin qu'Odette était déjà partie, la nouveauté de la douleur au cœur dont il souffrait [...] Il fut bien obligé de constater que dans cette même voiture qui l'emmenait chez Prévost il n'était plus le même, et qu'il n'était plus seul, qu'un être nouveau était là avec lui, adhérent, amalgamé à lui, duquel il ne pourrait peut-être pas se débarrasser, avec qui il allait être obligé d'user de ménagements[1] », etc. Phrase à laquelle fait écho une autre à la fin de *Sodome et Gomorrhe*, lorsque après la nuit où il vient de s'apercevoir qu'il ne pourrait plus jamais se passer d'Albertine, Proust regarde en pleurant, à travers la fenêtre de sa chambre d'hôtel, le soleil se lever sur la mer : « Je me rappelai, écrit-il, l'exaltation que m'avait donnée, quand je l'avais aperçue du chemin de fer, le premier jour de mon

1. I, 228.

arrivée à Balbec, cette même image d'un soir qui ne précédait pas la nuit, mais une nouvelle journée. Mais nulle journée maintenant, ajoute-t-il, ne serait plus pour moi nouvelle, n'éveillerait plus en moi le désir d'un bonheur inconnu, et prolongerait seulement mes souffrances — jusqu'à ce que je n'eusse plus la force de les supporter. »

Mais pourquoi ce pessimisme ? Ce n'est point que l'amour soit nuisible ou fatal en lui-même. Proust n'est nullement romantique, il n'élabore aucune métaphysique de l'amour, et au contraire demeure tenacement sur le terrain de l'empirisme intégral : en lui-même et par lui-même, l'amour est vraiment le bonheur, et s'il ne l'est pas, c'est que ça ne « s'arrange pas ». Admirable humilité ! « Être près des gens qu'on aime — dit M. de Charlus citant La Bruyère — leur parler, ne leur parler point, tout est égal. » Et il ajoute : « Il a raison, c'est le seul bonheur, et ce bonheur-là, hélas, la vie est si mal arrangée, qu'on le goûte bien rarement[1]. »

On le goûte, en fait, seulement par le hasard d'une « coïncidence » illusoire et provisoire entre le besoin que nous avons d'une personne et celui que cette personne pourrait avoir de nous, de « ces coïncidences tellement parfaites, quand la réalité se replie et s'applique sur ce que nous avons si longtemps rêvé ». Mais pour être heureux il ne faut jamais parvenir jusqu'à ce degré d'attachement où « l'être aimé est successivement le mal et le remède qui suspend et aggrave le mal. » Formule qui, pourtant, est celle même du bonheur, tant il est vrai qu'« il est humain de chercher la douleur et aussitôt de s'en délivrer ».

1. I, 763.

On a souvent écrit que chez Proust l'amour est un accident. Mais, au contraire, il ne se plaît à exagérer le caractère accidentel des mille circonstances qui entourent la naissance d'une passion, que pour mieux faire ressortir que la passion, en elle-même, est l'accentuation la plus forte de la vie.

Ainsi Proust pourrait reprendre à son compte la phrase que Kierkegaard, dans *Ou bien... ou bien* prête à l'auteur supposé des *Diapsalmata* : « Hélas ! la porte du bonheur ne s'ouvre pas vers l'intérieur, et rien ne sert donc de s'élancer vers elle pour la forcer ; elle s'ouvre vers l'extérieur, il n'y a rien à faire. »

Avec cette différence que, lui, il n'a jamais dit « hélas ». — En premier lieu, il croit au bonheur, à la vie, à tout ce qui est positif. Il n'enseigne pas que la souffrance est bonne, l'échec profitable, l'illusion plus précieuse que la réalité. Il s'attache aux autres autant qu'à lui-même, aux choses autant et plus qu'à ses « états de conscience » à propos des choses ; au contenu de sa vision plus qu'à sa vision même, contrairement aux romanciers narcissiques, comme Dostoïevski, qui tiennent avant tout à projeter sur les choses « leur » éclairage. Les personnages de Proust ne sont jamais le résultat d'une projection hallucinatoire, mais toujours d'une rencontre. Leur intensité vient d'eux, non de ses obsessions à lui. On fait parfois la même erreur d'interprétation sur Proust que sur Montaigne : sous prétexte que Montaigne se présente au lecteur en analyste de son « moi », on semble ne pas remarquer que dans les *Essais*, il parle plus de ce qui l'entoure que de lui-même, et que, même lorsqu'il dit « je », c'est une façon d'en arriver, en fait, à ce que « je » a vu ou lu *hors* de lui. Au contraire de tant d'écrivains qui, tout en parlant de ce qui leur est extérieur, ne parlent en définitive jamais que d'eux-mêmes, Montaigne, tout en parlant de lui, ne peut s'empêcher de parler de réalités extérieures à lui. Dans cette sortie invincible hors de soi, l'écrivain, avec Montaigne, dont Proust me semble le plus proche (déjà il s'apparente à lui par sa haine du petit bel-esprit et du faux-mystère) par son acuité visuelle dans la perception instantanée du comique ambiant, perception qui exige toujours que l'on s'oublie, est Molière.

Proust a souvent dit que le travail littéraire procédait d'un moi qui n'était pas le moi « social » de la vie de tous les jours. En affirmant cela, il suivait la mode philosophique de son temps et il entendait réagir contre l'esthétique de Sainte-Beuve, sans s'apercevoir qu'il eût été peut-être plus simple de réfuter Sainte-Beuve en constatant que son erreur est, non pas de vouloir expliquer la littérature par la vie, mais avant tout, de ne pas comprendre la vie.

Car enfin, s'il fallait choisir un livre qui fît constater que l'opposition entre la vie et l'œuvre, entre l'art et la réalité, ne signifie rien, et qui montrât, au contraire, non leur identité, certes, mais leur unité, ne serait-ce pas, malgré toutes les théories de Proust, le livre de Proust qu'il faudrait désigner ?

CHAPITRE II

PROUST CONTRE LES SNOBS

Sois-moi mondaine
je suis ton daim.

MAX JACOB.

Nous sommes snobs lorsque notre attitude à l'égard d'une personne humaine (je laisse de côté le snobisme envers les animaux, sujet complexe, sur lequel, me dit-on, plusieurs thèses de doctorat sont en préparation) dépend, non point directement de cette personne, ni des impressions que nous recevons d'elle par l'effet de sa présence, mais d'une troisième force, étrangère aux qualités et aux défauts qui lui appartiennent en propre. Ce troisième facteur peut être la noblesse, l'argent, le pouvoir, la possession d'une automobile dépassant une certaine vitesse, d'un cheval, d'un chien, d'un record sportif ou littéraire ou même d'un titre universitaire ; l'appartenance, présente, passée ou future à une corporation quelconque : École, Administration, Corps, Armée ; ou encore le fait d'avoir séjourné dans tel pays, dans telle ville, voire dans tel hôtel ; de pratiquer la chasse, la pêche, le ski, l'alpinisme, la navigation à voile, le proxénétisme, une langue étrangère ; d'avoir assisté à des congrès ou (en d'autres milieux) d'avoir volé, assassiné ou fait de la prison. L'homme trouve, en tout, matière à snobisme. Ainsi on peut être témoin, chez les drogués, du mépris des fumeurs d'opium pour les morphinomanes, de ceux-ci pour les buveurs d'éther, etc. Dans une grande ville du Texas existe un quartier où, par convention tacite entre les propriétaires et les agences immobilières, il ne se vend jamais un pouce de terrain à des gens dont la fortune serait évaluée à moins d'un milliard de dollars. Or, d'un point de vue strictement pratique, l'aspect « résidentiel » et luxueux du quartier pourrait certainement être sauvegardé à moindre prix. Ce qui conditionne, c'est donc bien ici une image, un totem, une idée-barrière, comme d'ailleurs dans tant de villes américaines où quelques mètres à peine séparent la partie de la ville où il est de bon ton d'habiter, de celle où résider vous exclut d'une certaine société, bien qu'aucune différence d'agrément ou de propreté ne soit perceptible à l'œil nu entre les secteurs contigus de ces deux zones, et que seul l'écart des loyers vous indique le passage de l'une à l'autre.

Il serait facile et fastidieux d'allonger la liste. L'essentiel est qu'une idée s'interpose entre nous et notre semblable, plane au-dessus des têtes. L'interlocuteur que nous avons devant nous a beau donner toutes les plus redoutables marques de sottise et de vulgarité, nous ne les enregistrons pas, ces marques, comme telles, parce que nous baignons dans la notion qu'il est champion d'escrime, collaborateur de *Time Magazine*, ambassadeur de France, ou chef des sucettes Girard. L'être le plus ennuyeux ne nous ennuie plus. A travers lui nous entrons en contact avec l'Idée, et, comme dit M. Verdurin, il « en » est (notez le vocabulaire de la participation magique ou platonicienne). Tout à la fin, Mme Verdurin, devenue princesse de Guermantes et à moitié moribonde (car pour le snob comme pour l'homme politique il n'est point d'âge ni de retraite), s'écrie : « Oui, oui, c'est cela, nous ferons clan ! nous ferons clan ! J'aime cette jeunesse si intelligente, si participante, ah ! quelle mugichienne vous êtes » Jusqu'au bout, note l'auteur, elle était décidée à « participer », à « faire clan ».

Parmi les facteurs de discrimination les plus grossiers se rencontrent d'abord les titres nobiliaires ou officiels, le pouvoir et l'argent. Mais on peut forger des millions d'autres principes discriminateurs. Plus une civilisation se complique, plus les critères du snobisme se diversifient et font fi, en apparence du moins, de la richesse ou de la force, plus le snobisme multiplie ses facettes, se fait ondoyant, se subdivise, se déguise et va jusqu'à s'inverser. L'anti-snobisme des snobs n'est en effet qu'une variante du snobisme, que Proust a catalogué comme les autres, lorsqu'il écrit par exemple que la duchesse de Guermantes « reprit son point de vue de femme du monde, c'est-à-dire de contemptrice de la mondanité[1] ».

Dans d'autres sociétés, le snobisme reste robuste et simple, il a besoin d'étiquettes distinctives, de signes visibles. En Italie un individu ne jouit que d'une existence inférieure s'il n'a pas de titre, s'il est réduit à lui-même. C'est toujours un pis-aller, une grossièreté, que d'appeler quelqu'un seulement « Monsieur ». Il faut qu'il soit Dottore, Ingegnere, Commendatore, Avvocato, Professore, Ragioniere, etc. On raconte l'histoire d'un malheureux qui mourut, écrasé par un camion, parce que le passant qui avait aperçu sa position périlleuse n'osa pas, de peur de le vexer, l'inter-

1. III, 1023.

peller en lui criant simplement « Signore ! » Il cria à
tout hasard « Commendatore ! » : l'autre (n'étant pas
commandeur) ne se retourna pas, et périt. Tout snobisme suppose un conformisme préalable, sans lequel
il serait noyé et perpétuellement désorienté, c'est-
à-dire suppose l'acceptation non critiquée de certaines
valeurs. L'aveuglement de cette acceptation peut aller
jusqu'à nous faire vouer un respect religieux à une
hiérarchie sociale dont nous sommes nous-mêmes précisément exclus : c'est le snobisme des domestiques, si
bien décrit par Proust, c'est aussi, dans les sociétés de
grandes propriétés terriennes, l'adoration des paysans
pour les maîtres et les usages dont ils sont les victimes.
Être classé, même dernier, mais l'être, ce besoin fait
chérir à l'homme n'importe quelle classification.

Le snobisme recompose, dans un cercle limité par
une frontière artificielle, l'entière échelle humaine des
défauts et des qualités. Hors du cercle quelqu'un
pourra posséder des vertus, être gentil ou intelligent :
ces vertus, pour parler le langage administratif, il n'en
sera jamais le titulaire. A l'inverse, la « gentillesse »,
le « courage », le « brillant », etc., croissent à l'infini
s'ils fleurissent chez un individu participant à l'Idée.
Un garçon « très brillant », « très cultivé », « très
musicien », « très droit », « très drôle », « très affectueux », etc. ne se prononce pas, ne s'articule pas, ne
se module pas, de la même manière, avec la même
intonation, avec la même précipitation, selon qu'il
s'agit d'un titulaire ou d'un individu dépourvu de tout
statut défini. La titularisation dépendra aussi bien de
toute une classe sociale, que d'un groupe réduit à
quelques personnes, ou même à une seule famille. On
connaît cette sorte d'auto-snobisme qui unit les mem-

bres de certaines familles dans une admiration réciproque, aussi coriace que peu motivée, et qui d'ailleurs, parfois, ne les empêche pas de s'entre-déchirer.
Peu importe : divisant l'humanité entre ceux qui « en
sont » et ceux qui n'en sont pas, le snobisme nous rend
la vie plus facile, il nous dispense d'avoir à sentir et à
juger dans chaque cas particulier, et il suspend notre
estime de nous-mêmes à l'estime sans restriction que
nous accordons à un nombre restreint d'autres individus.

Chaque catégorie de snobs évoque donc une société
secrète dont la cohésion reposerait sur la garde
farouche d'un trésor inexistant. En disant que « ce
trésor n'existe pas » je parle évidemment des justifications et des prétextes que le snobisme se donne à lui-
même sur le terrain des valeurs morales, intellectuelles
ou esthétiques. A la base, le trésor existe bien, car tout
snobisme défend, du moins à l'origine, les intérêts
d'une classe, d'un groupe, d'un clan ou d'une coterie.
En dernière analyse, à l'échelle microscopique, il n'y a
qu'un seul snobisme, celui de l'argent, et de ce qui
équivaut à l'argent : le pouvoir, l'influence, la célébrité. Mais une grande distance court de la racine d'un
fait à ses proliférations. Comme l'a montré Marx dans
le Dix-Huit Brumaire, toute construction morale
acquiert une sorte de puissance autonome plus durable
que les causes qui l'ont inspirée ; elle peut survivre aux
nécessités dont elle sort ou auxquelles elle résistait, et
influencer à son tour ses propres supports, en se déve-
loppant pour son propre compte, de plus en plus folle-
ment.

Débordant largement ses formes les plus classiques
— comme la vie dite mondaine — et ses formes mons-

trueuses, comme l'antisémitisme et le racisme en général, le snobisme est insondable et polymorphe. Toujours présent chez tous, fût-ce à l'état de résidu imperceptible, il corrompt avec subtilité toutes nos attitudes. Il falsifie la conduite de ceux mêmes qui s'en défendent le plus (il existe un snobisme à l'intérieur du Parti communiste et, bien entendu, à l'intérieur de l'Église catholique) ou qui en prennent gauchement le contre-pied par une affectation défensive, dans laquelle on peut le lire tout entier, comme dans un miroir une écriture renversée : s'encanailler, c'est évidemment être snob. Le snobisme nuance tous les rapports personnels dans les sociétés policées, car il reproduit, autant que les lois et l'intérêt le permettent, ce vaste édifice d'inclusions et d'exclusions où l'ethnologie a vu un phénomène fondamental de toute vie sociale. On snobe celui que, dans certains systèmes sociaux archaïques, où il n'existe que deux catégories d'êtres humains, les parents et les ennemis, normalement on tuerait.

Détecteur et compteur hautement précis des traces de snobisme les plus faibles répandues dans la nature, que ce soit à l'état cristallisé, fossilisé, fluide ou gazeux, Proust en perçoit l'ubiquité, la mimique, les ramifications. Il s'amuse, sans se lasser, à en décrypter, au moyen de la grille, fabriquée par lui, de l'anti-snobisme, les propos et les actes. Partout où il entre, la première chose que son œil et sa sensibilité pénètrent, au travers des gens qu'il regarde, c'est le réduit obscur où palpite le secret de leur grimace. Ce secret, aussitôt il le cerne, l'isole, l'accule, et s'amuse à voir le titulaire, ou candidat à la titularisation, s'agiter, refaire interminablement le trajet triangulaire qui le conduit de la ou des personnes présentes à la Valeur dont il est l'esclave, pour revenir, enfin, après avoir consulté cette Valeur, à ses propres (si l'on peut ainsi dire) sentiments.

Parfois même, Proust prolonge l'expérience, torture sadiquement le snob. Il laisse Mme de Cambremer, snob intellectuelle, s'enferrer dans sa condamnation de Poussin, qu'elle croit toujours hors de mode, puis il annonce négligemment que Degas aime beaucoup les Poussin de Chantilly. « Ouais ? répondit-elle. Je ne connais pas ceux de Chantilly [...] mais je peux parler de ceux du Louvre, qui sont des horreurs. — Il les admire aussi énormément. — Il faudra que je les revoie. Tout cela est un peu ancien dans ma tête, répondit-elle après un instant de silence, et comme si le jugement favorable qu'elle allait certainement bientôt porter sur Poussin devait dépendre, non de la nouvelle que je venais de lui communiquer, mais de l'examen supplémentaire et cette fois définitif, qu'elle comptait faire subir aux Poussin du Louvre, pour avoir la faculté de se déjuger[1]. »

Et dans son regard rêveur se lit l'aurore du revirement qui la conduira infailliblement quinze jours plus tard à aimer Poussin. Morel lui-même, si veule, si peu affecté par le mépris d'autrui, a pourtant, lui aussi, son secret talon d'Achille : la sacro-sainte classe de violon du Conservatoire. La terre entière peut bien le tenir pour une immonde petite frappe, il ne tremble qu'à la seule idée que quelque chose pourrait en transpirer rue Bergère.

Par quel aveuglement a-t-on parfois pu considérer

1. II, 813.

Proust comme un romancier de la vie mondaine, quoique exceptionnel, un romancier dont le mérite essentiel serait d'avoir su tirer le profond du superficiel, rendre humaine une matière ingrate — un peu le Saint-Simon de la haute bourgeoisie ?

Saint-Simon croit à la réalité de l'aristocratie du sang, mais il constate chaque jour des petitesses et des forfaits qui tiennent sa foi en échec, ébranlent les bases de son existence, rendent intenable son système moral ; d'où cette férocité amère, cette indignation sardonique dans les *Mémoires*. Là où Saint-Simon-Alceste souffre, Proust-Philinte est tout ironie, sensible à la cocasserie pure. Certains prétendent que Proust décrit la vie aristocratique et mondaine pour l'intérêt qu'elle présenterait en elle-même, d'autres parce qu'à demi juif il n'y aurait jamais été vraiment admis et serait fasciné par elle. Ces deux interprétations seraient très convenables de la part de gens qui n'auraient jamais ouvert la *Recherche du temps perdu*. Si la première est exacte, il est également exact de dire que *la Farce de Maître Pathelin* est une étude sur l'état du droit au xvᵉ siècle. Quant à la seconde, elle relève de cette application plate de bribes psychanalytiques, qui veut que tout ce que nous faisons soit toujours destiné à nous défendre d'une forte envie de faire le contraire, ou à tromper tout en le dissimulant notre dépit de n'avoir pu le faire. Sans doute existe-t-il chez Cervantès un amour secret et un attendrissement nostalgique pour les romans de chevalerie. Mais le ton de Proust ne trompe pas. Aucun écho affectueux ne résonne au creux de sa satire. D'ailleurs il ne s'agit pas chez lui d'une simple satire, qui supposerait que l'auteur a tout d'abord pris au sérieux ce qu'il daube, car s'il ne s'agissait que de cela, on ne comprendrait pas pourquoi nous pourrions relire toujours avec le même plaisir les mêmes pages sur la stupidité de M. de Norpois ou l'égoïsme rusé des Guermantes, ni pourquoi des lecteurs qui n'ont jamais connu d'exemplaires de ces types sociaux pourraient y prendre intérêt. La « démystification », pour avoir du sel, suppose une mystification préalable. La force de la satire proustienne, comme de la satire des Précieux chez Molière, tient donc à autre chose et plonge ses racines beaucoup plus bas que le sol sur lequel marchent les individus aux dépens de qui elle s'exerce. La *Recherche du temps perdu* n'est ni le roman revanchard d'un snob déçu ou brimé ni même la chronique du crépuscule d'une société, la description sceptique et cruelle de la mondanité, où excellait la plume avertie de cette Mme Gyp que Nietzsche prisait si fort, ou la plume amère et hargneuse des Goncourt dont le journal sonne, en effet, dans ce domaine, l'heure de la désillusion, de la chute des masques et de l'apparition des tics. Proust n'a jamais eu à découvrir les limites du « monde », parce qu'il n'a jamais cru au « monde ». Plus précisément, il a cru à l'esprit, au charme du « monde » avant de le connaître, et ses illusions se sont évanouies au moment même de son tout premier contact avec la réalité. Le chapitre II de *Guermantes* (si on peut parler, chez Proust, de vrais « chapitres »), « L'esprit des Guermantes devant la princesse de Parme », est écrit tout exprès pour raconter cela. Ses lettres à Reynaldo Hahn, dans lesquelles il se moque des égéries parisiennes et pastiche le style de leurs invitations montrent que l'homme qui, à vingt ans, collaborait à la *Revue blanche*, n'a pas eu à se dégager d'une « période mondaine ». Pourtant, il est rare de rencontrer des lecteurs de Proust qui ne croient pas que la *Recherche* contiendrait, en même temps qu'une critique, un discret aveu d'admiration et un mélancolique adieu.

C'est là confondre Proust avec par exemple Gabriel-Louis Pringué, le sympathique auteur de *Trente Ans de dîners en ville*. Pringué croit au « monde », à l'image parfaite que s'en faisaient en 1900 ceux qui n'y allaient jamais. Tout en y allant, c'est comme eux qu'il le voit. Pour lui, les salons sont peuplés de femmes « diablement » jolies (c'est son adverbe) ; les reines ont toujours un port de reine ; les auteurs à la mode font leur entrée en « lançant trois ou quatre mots d'esprit », tout comme dans l'imagination des enfants un héros du Far West ne se déplace qu'en tirant des coups de pistolet. Les duchesses sont toujours « très bonnes », les marquises ont un sens de la repartie à vous assommer un bœuf. Pringué cite avec extase quantité de « mots », de « répliques », célèbres parmi les élégants des cinq continents entre 1900 et 1914, et d'une inanité tellement navrante, dans lesquels il est impossible de découvrir — fût-ce à l'état fœtal — le plus petit espoir d'un mot spirituel que son livre risque de passer un jour pour le réquisitoire d'un atrabilaire, dans le genre des *Annales* de Tacite.

Sur le plan moral, Pringué croit qu'il y a des bons tout bons et des mauvais tout mauvais, comme dans les chansons de geste, et comme dans les westerns. En vérité, ce que Pringué a écrit, c'est un western de la vie mondaine. Il croit aux vertus des gens du monde, comme un enfant est sûr d'avance que Davy Crockett ou Billy le Kid auront toujours du courage, ne manqueront jamais leur cible. Hélas ! la vertu ne triomphe pas toujours : et il faut relire cette page déchirante où Pringué gémit longuement sur ce que des dames nou-vellement parvenues, sans position mondaine légi-time, arrivent à se faufiler, uniquement grâce à leur argent, jusqu'aux présidences des sociétés de charité et des organisations de bonnes œuvres.

Sur le plan métaphysique enfin, l'appartenance au « gratin », comme il dit, garantit chez Pringué à l'être humain la possession de qualités d'intelligence, de beauté, de bonté, inhérentes aux individus eux-mêmes et inaliénables (de même les scolastiques pensaient que le Sec, l'Humide, le Chaud, le Froid étaient des propriétés appartenant à l'essence même de certains corps). En parlant d'une femme « diablement » jolie, il écrit par exemple : « Sa taille était celle d'une vérita-ble statue. » Ainsi, pour Pringué : 1° Il existe de véri-tables statues et de fausses statues ; 2° Les véritables statues seules ont la taille belle ; 3° Les femmes qui n'appartiennent pas au « gratin » ressemblent aux fausses statues.

Tous points de vue qu'il faut, certes, imputer plus à simplicité qu'à malice. Je ne m'étendrai pas davantage sur cet auteur, auquel je consacrerai ultérieurement un important ouvrage.

Du moins ces aperçus, trop sommaires, permettent-ils d'écrire que le livre de Proust est plus que l'envers de celui de Pringué. *A la recherche du temps perdu* n'est pas à *Trente Ans de dîners en ville* ce que *Don Quichotte* est à *Amadis*, mais bien plutôt la *Recherche* est, sous ce rapport comme sous bien d'autres, l'envers de *la Comédie humaine*. Car lorsqu'il s'agit de croire à l'excellence foncière des individus composant la noblesse, à la supériorité de la substance humaine chez

les femmes du faubourg Saint-Germain, Balzac possède la foi du charbonnier. Quant à Saint-Simon, il lui
faut aller jusqu'à la cour d'Espagne pour trouver enfin
une étiquette selon son cœur, un cérémonial dont l'ordonnance visible reflète et matérialise les inégalités de
rang et de sang, tant il est vrai que le rêve snob est de
réaliser dans des objets extérieurs et de signaler par
des uniformes la hiérarchie qu'il voudrait croire fondée
dans la nature humaine elle-même. Poussé par cette
hantise d'asseoir le rang sur la place à laquelle on a
droit à la chapelle, dans une cérémonie, sur le droit de
se couvrir, de passer ou non un seuil, bref sur la topo-
graphie, Saint-Simon va jusqu'à écrire : « Madrid est
une belle et grande ville, dont la situation inégale, et
souvent en pente fort raide, a peut-être donné lieu aux
sortes de distinctions dont je vais parler[1]. » A l'opposé,
Proust n'essaie même pas de justifier la vie mondaine,
comme on le fait souvent, en s'efforçant de montrer
que sans l'avoir mérité les snobs servent pourtant de
parure peut-être inutile mais charmante à toute société
policée. Aucun roman ne détruit plus simplement que
le sien la légende d'après laquelle l'oisiveté, la
richesse, le confinement dans un cercle étroit de relations personnelles constitueraient des conditions pro-
pices à l'épanouissement des qualités de l'esprit et à la
finesse des manières. Dans une ébauche du personnage de Charlus, où celui-ci a nom M. de Quercy, on
lit : « Il vint à Paris. Il était dans sa vingt-cinquième
année, d'une grande beauté, *spirituel pour un homme
du monde*[2]... » Après le manque d'esprit, l'ignorance :

1. *Mémoires*, chap. LXVI.
2. *Contre Sainte-Beuve*, p. 263. C'est moi qui souligne.

« *l'extraordinaire ignorance de ce public* », du public qui compose, dans *le Temps retrouvé*, l'assistance de la matinée de la princesse de Guermantes[1]. Ainsi, ce n'est pas seulement par intérêt psychologique mais par curiosité ethnologique que Proust détaille et reproduit impitoyablement les façons de parler des gens du monde. Le langage des gens faux est lui-même toujours faux parce qu'il n'a pas de centre naturel et, ne coulant d'aucune source, est fait de lambeaux boudinés comme les ruisseaux de papier d'argent dans les crèches provençales. Le mauvais français du duc de Guermantes (les cuirs de Françoise lui sont préférables), alors que tant de gens du peuple, Jupien, par exemple, parlent naturellement une langue élégante et correcte, ne nous inspire pourtant pas le même malaise que ces vulgarités de vocabulaire et de syntaxe, ce mélange de mots savants mal compris, d'argot plaqué, d'expressions familières affectées et de silences suggestifs par lesquels tant de mondains semblent s'excuser de n'avoir ni langue ni langage et que nous trouvons par exemple dans ces propos tenus au narrateur par Gilberte de Saint-Loup : « Mais comment venez-vous dans ces matinées si nombreuses ?... Vous retrouver dans une grande tuerie comme cela, ce n'est pas ainsi que je vous schématisais ? Certes, je m'attendais à vous voir partout ailleurs qu'à un des grands tralalas de ma tante, puisque tante il y a[2]... »

Proust est aussi peu impressionné que possible par l'aristocratie et la richesse, aussi étranger qu'on peut l'être à la notion même d'« élite » sociale. Partout il

1. III, 1002.
2. III, 984.

nous montre la sottise et la grossièreté des gens du
monde et si l'on ne prête pas une attention particulière
à cette démonstration c'est que pour lui elle va tellement de soi que, bien que constante, elle reste dans les
marges du récit principal et n'emprunte jamais elle-
même le cours de ce récit. Pourtant, dans *la Prisonnière* il déclare explicitement son mépris, au moment
où il raconte la soirée musicale que le baron de Charlus
organise, en l'honneur de Morel, chez Mme Verdurin.
On se rappelle qu'à la demande de la « patronne »,
Charlus a invité presque uniquement des gens de son
monde à lui, et que ceux-ci se tiennent si mal que Mme
Verdurin, pour se venger, convainc Morel, à la fin de
la soirée, de plaquer définitivement le baron. « Ce qui
perdit M. de Charlus, écrit Proust, ce fut la mauvaise
éducation, si fréquente dans ce monde, des gens qu'il
avait invités. Entendant parler de Mlle Vinteuil, plus
d'un disait : — Ah ! la fille à la sonate ? Montrez-
la-moi. Un duc pour montrer qu'il s'y connaissait,
déclara : — C'est très difficile à bien jouer. » Et Proust
conclut : « Le monde étant le royaume du néant, il n'y
a, entre les mérites des différentes femmes du monde,
que des degrés insignifiants, que peuvent seulement
majorer les rancunes ou l'imagination d'un M. de
Charlus[1]. »
  Il est toujours cocasse de voir qu'une œuvre est
considérée tenacement, parfois pendant des siècles, à
l'instar du *Parnasse* de Mantegna, comme un plaidoyer
en faveur des idées qu'elle se proposait précisément de
réfuter et des personnages qu'elle nous peint comme
odieux ou grotesques. Peut-être dira-t-on un jour du

  1. III, pp. 245 et 276.

Capital que c'est un hymne qui retrace avec une sensibilité voilée et une tendre ironie les charmes de la
condition ouvrière au xixᵉ siècle, puisque, de quicon-
que, aujourd'hui, cultive les signes extérieurs du raffinement, on dit qu'il est « proustien », comme on le dit
de n'importe quel éphèbe du Quai d'Orsay qui susurre
un français atonal, de tout bas-bleu pâmé de complica-
tions, de tout énergumène herculéen qui s'invente une
névrose et, plein de sang, se fait un point d'honneur de
rester au lit jusqu'à onze heures du soir, pour mieux
ressembler à Proust, lequel était mourant quand il en
faisait autant.

Le personnage pour lequel Proust est le plus dur, en
dépit des qualités qu'il lui reconnaît à maintes reprises, c'est en définitive la duchesse de Guermantes. A la
fin il la piétine plus encore qu'il n'accable le duc. Car
celui-ci est tout d'une pièce, nettement circonscrit dans
ses titres, sa situation mondaine, ses plaisirs, son
argent, son égoïsme. Il ne feint pas de cultiver une
autre morale que celle dont il a besoin pour se sentir à
l'aise. La duchesse, au contraire, est un agent double.
Proust montre à son propos tout d'abord la complaisance dont bénéficie une femme presque dépourvue
d'esprit en acquérant dans le monde le statut officiel de
diseuse de bons mots, la cause du rire des assistants
étant pour un dixième seulement le « mot », pour les
neuf autres dixièmes la puissante situation mondaine
des Guermantes, lesquels amusent à la manière dont
un patron boute-en-train fait « fuser », au cours d'un
banquet, le rire de ses employés. Car si l'on y prend
garde, les fameux « mots d'Oriane » sont toujours
absolument idiots. Ils dépassent rarement le niveau du
calembour plat. En citant ces mots, Proust fait, délibé-

rément, ce que Pringué fait à son insu : il montre quel
bas prix il suffit de payer pour acquérir, dans un milieu
falsifié par le snobisme, la réputation d'avoir infiniment d'esprit. Avec cruauté il détaille les cabotinage
de la duchesse, qui répète ses propres « mots » devant
des auditoires successifs, en apparence s'en défendant,
feignant de les avoir oubliés, se laissant forcer la main
par le duc, tous deux s'entendant comme larrons en
foire. Un seul mobile, mais mille prétextes aux préfé-
rences et aux actes : la duchesse se prétend bohème,
mais elle épouse comme par hasard — avec l'aide du
« génie de la famille » — le plus riche parti de France.
Elle se donne pour connaisseur en littérature et en art,
mais ne peut que répéter des clichés (« Ah, je comprends, vous venez pour *observer* », dit-elle gravement
à Proust — sachant qu'il écrit — au cours de la matinée
chez la princesse de Guermantes, dans *le Temps
retrouvé*.)

On peut lire, dans les *lettres* à Reynaldo Hahn, des
pastiches de la comtesse Greffulhe (Lettres LII, LIII,
LV, et LVI) qui nous montrent un Proust jeune aussi
peu dupe que le narrateur à venir de la *Recherche*.
Parce que Proust a peint des mondains, et des littéra-
teurs « artistes », on confond l'auteur et son sujet : on
oublie que si le style de Proust est dense, complexe,
chargé — du moins quelquefois, il est souvent aussi
d'une légèreté aérienne — il reste en tout cas d'une
constante simplicité, il est essentiellement et profondément naturel ; il n'y a pas, d'un bout à l'autre de la
Recherche, une seule affectation, une seule préciosité,
un seul archaïsme, une seule tournure « élégante ».

Enfin, Oriane, dans le domaine où le savoir-vivre
touche à la morale, professe le culte de l'amitié, mais

se conduit d'une façon révoltante avec Swann mourant, puis, après sa mort, trahit sa mémoire lorsqu'elle reçoit à déjeuner, dans *la Fugitive*, Gilberte Swann, devenue par adoption Gilberte de Forcheville, et quand elle insinue, par son attitude, qu'elle n'a que très vaguement connu le Juif Charles Swann — elle qui avait été pendant de si longues années sa « plus grande amie ». Le charme de la duchesse de Guermantes a existé pour le narrateur de la *Recherche* à l'époque où il ne la connaissait pas encore, où elle restait une créature aimée de son imagination, et qu'il suivait dans la rue sans jamais lui avoir parlé. Mais que ce charme se brise dès le premier dîner, dès la toute première conversation, n'est-ce pas un des effets les plus voulus de l'histoire ? Alors ne subsiste plus qu'une snob méchante, qui croit être tout ce qu'elle n'est pas, qui prétend s'intéresser à tout, sauf à la seule chose qui l'intéresse réellement : sa position mondaine.

Car c'est là le propre du snobisme : il ramène toutes les valeurs à une seule mesure tout en se persuadant qu'il juge dans chaque cas particulier d'une façon désintéressée, au nom de l'amour de la vérité, de la « qualité », et d'une idée élevée de la nature humaine. Legrandin se prend pour un poète, un amant de la nature, un ermite, alors qu'il ne rêve que d'être « vu avec ». Les Verdurin prétendent établir leur salon sur le principe de l'impartialité dans la recherche des vrais talents, mais les artistes qui cessent de fréquenter chez eux, ou qui — pis encore — meurent (deux manières impardonnables de « lâcher ») cessent aussitôt, à leurs yeux, d'avoir du talent et deviennent des « ennuyeux ». Les Verdurin appartiennent évidemment à la catégorie suprême, celle de l'auto-snobisme, ils sont snobs d'eux-mêmes.

Cependant le snobisme, intransigeant en apparence, comme s'il n'était attentif qu'aux valeurs permanentes, quand il est esclave en fait des fluctuations de la fortune, des situations, de la célébrité, est condamné à s'infliger à lui-même de perpétuels démentis. Les principaux héros de Proust sont aux pieds de ceux qu'ils n'auraient pas voulu, vingt ans auparavant, qu'on leur présentât (ou même ils les épousent). Bloch, Rachel, Gilberte, Odette, Mme Verdurin, prennent d'assaut le faubourg Saint-Germain à coup de coucheries et d'argent. Le personnage le plus cauteleux et le plus malhonnête du livre, Morel, est cité comme témoin dans un procès, où sa réputation de haute honorabilité, acquise grâce à ses relations, confère à son témoignage et à sa parole, en l'absence de toute preuve, une autorité qui suffit à emporter la décision du jury. Pourquoi donc, si c'est pour aboutir à ça, tant d'années de cruautés mesquines et de souffrances, tant de vies snobs consacrées à la garde jalouse de principes imaginaires, tant de subtilité et de ruses dans la poursuite d'une ombre dont la seule existence est celle des vains efforts qui se dépensent en pure perte pour la saisir ? Le snobisme dans le roman de Proust joue le rôle d'un leurre vers lequel les ambitions, les désirs et les passions de l'homme s'élancent dans le vide, accusant ainsi leur démesure, à jamais sans support dans l'objet dérisoire sur lequel ils s'exercent. Cet objet n'est rien de moins que le lièvre dont parle Pascal dans le fragment sur le Divertissement, ce lièvre que l'on s'épuise à courir tout le jour et « dont on ne voudrait pas s'il était offert ».

CHAPITRE III

PROUST ET LA POLITIQUE

La gaze la tourmentait. Elle en rêvait une qui viendrait de l'Inde, qui ferait autour de son corps des lignes de neige, qui se draperait sur ses mouvements en des plis tristes et longs comme l'abandon du saule vers la terre, avec toute la lourdeur de l'affaissement des choses légères.

Comtesse GREFFULHE.

Cet Allemand était fou d'art, de foulards et de poulardes.

MAX JACOB.

On pardonne les crimes individuels, mais non la participation à un crime collectif[1].

MARCEL PROUST.

---

1. *Recherche*, II, 152.

Il ressort donc de la *Recherche* que l'oisiveté et l'argent n'affinent pas le goût, mais au contraire forcent contre leur goût à s'occuper d'art quantité de malheureux qui, sans nécessité de sauver la face, n'eussent jamais été condamnés à ce supplice et auraient du même coup épargné à autrui celui de les écouter. Leur dénuement eût rendu inutile la production qui leur est spécialement destinée : la littérature décaféinée, la peinture prédigérée, et en général l'avant-garde rétrospective. Proust détruit le paradoxe de la fonction sociale des snobs, le mythe de la purification héréditaire du goût, et montre que l'éducation aristocratique et grande-bourgeoise conduit moins souvent au Louvre qu'à la galerie Charpentier[1]. Démonstration d'autant plus probante que Proust ne s'est pas donné la partie gagnée au départ. En choisissant la duchesse de Guermantes comme échantillon de la noblesse et les Verdurin comme échantillons de la grande bourgeoisie, il peint des snobs anti-snobs, libérés de tout provincialisme, ceux que Jacques-Émile

1. Disparue en 1965, cette galerie du Faubourg Saint-Honoré était célèbre par ses vernissages mondains et le manque de rigueur de ses expositions.

Blanche appelle « le gratin révolté[1] ». La « patronne »
est « nature ». La duchesse de Guermantes dit volontiers : « Vous n'aimez pas le monde ? Vous avez bien
raison, c'est assommant. Si je n'étais pas obligée[2] ! »
En outre, Proust satirise des gens qui font jouer Vinteuil à leurs matinées, qui ont lancé Elstir (les Verdurin surtout, la noblesse s'étant bornée à suivre), et qui
pourront passer plus tard aux yeux des historiens — il
le répète souvent — pour avoir été en avance sur leur
temps, avoir protégé les arts, pratiqué un mécénat
éclairé. Et tout cela est vrai, c'est ce qui donne sa
valeur à un verdict qui tirerait beaucoup moins à
conséquence si Proust s'était borné à peindre la *décadence* d'un milieu. Loin de pouvoir être mis au compte
d'une décrépitude des salons, ou de ce qui en tient lieu,
la *Recherche* détruit la tenace légende qui pousse à
invoquer toujours un passé brillant des mondains, un
temps où ils étaient vraiment cultivés, un âge d'or du
snobisme. Proust anéantit rétroactivement le passé
légendaire, car, à le lire, ce sont le prétendu âge d'or et
même le xviie siècle qui sont diminués par le présent,
par le travail de transfiguration et d'embellissement du
passé récent auquel nous assistons. « Nous aimerions
avoir connu Mme de Pompadour qui protégea si bien
les arts, et nous nous serions autant ennuyés auprès
d'elle qu'auprès des modernes Égéries, chez qui nous
ne pouvons nous décider à retourner tant elles sont
médiocres[3] ».
Songeons à Musil : bien que son registre soit diffé-

---

1. J.-E. Blanche : De *Gaughin à la Revue nègre*.
2. II, 380.
3. II, 569.

rent, et qu'il se soit assigné un but tout autre, pourtant, si l'on prend *l'Homme sans qualités* dans son filon satirique, quelle simplicité excessive dans la personnalité caricaturale d'une Diotime — cette Mme Verdurin viennoise, dont le ridicule tient tout entier à un contraste uniforme entre ce qu'elle est et l'Idéal qu'elle veut servir : une Mme Verdurin qui n'a jamais raison, dont tous les goûts, toutes les idées sont bouffonnes —, Diotime qui, cependant, parvient à l'existence comique grâce à la subtilité allusive du style de Musil, ce style à la fois diffus et lapidaire où la profusion s'unit mystérieusement à la concision. Ce n'est jamais par son style que Proust, lui, rend ses personnages comiques, ou plutôt il ne les *rend* pas comiques, ni odieux. Il aurait pu aisément ne faire comparaître que des Mme de Cambremer, pauvre bestiole apeurée qui devait nécessairement, je suppose, préférer *l'Éducation sentimentale* à *Madame Bovary*, qui eût honni l'opéra italien en 1945 pour l'adorer sans discernement en 1960, elle qui vomit Chopin quand seul Bach a cours, mais est inondée de sueurs froides en apprenant que Chose ou Machin a loué « l'incomparable écriture pianistique » de Chopin. Ou encore il aurait pu accabler la série immortelle des Odette de Crécy, dont la descendance écoute aujourd'hui du Vivaldi avec, à portée de la main, les *Voix du Silence* et tous les albums Skira. Il n'aurait alors frappé que des lampistes, prompts à bredouiller et à battre en retraite au moindre froncement de sourcils de l'interlocuteur. Mais en frappant à la tête, en dévoilant les ressorts qui font mouvoir les chefs de file, Proust nous donne le fin mot du prestige intellectuel rétrospectif — et seulement rétrospectif — de certains milieux des classes dirigeantes ; à savoir que ce sont eux les parasites des écrivains et des peintres, et non l'inverse. Les mécènes sont des souteneurs plus que des protecteurs. Je ne comprends du reste pas pourquoi on parle toujours, en histoire de l'art, de « mécénat », pour désigner l'acte d'acheter ce produit d'un travail qu'est un tableau, un meuble, un cycle de fresques, une statue. A moins de prouver que l'artiste se trouvait préalablement dans la misère totale, et que l'acheteur n'avait nullement envie de ce qu'il a commandé et s'est empressé de le détruire, ce qui est rarement le cas, évoquer la générosité à propos d'une opération commerciale parce qu'elle porte sur une œuvre d'art révèle un mépris profond pour l'art. Lorsque j'achète des sardines à l'huile chez l'épicier ou un poêle à pétrole chez le marchand de couleurs, ils seraient fort vexés l'un et l'autre si je leur disais que je me considère comme leur mécène. Pourquoi donc est-ce toujours avec le sentiment protecteur de faire la charité qu'on achète une gouache à un peintre peu connu, dans le ferme espoir, chacun ayant une confiance inébranlable en son propre goût, que sa cote va monter ? L'argument de l'inutilité ne vaut rien, car un poêle à pétrole se détraque parfois, car un parfum ou un chapelet sont également inutiles, et pourtant l'ensemble de la clientèle les paye fort cher avec un sentiment d'infériorité reconnaissante et de respectueuse culpabilité. Les seuls personnages proustiens qui aient un besoin réel de l'art et des lettres, les seuls à y avoir acquis quelque compétence — Swann et Charlus — sont des gens en marge ou en porte-à-faux, et d'ailleurs estimés de leur milieu, lorsqu'ils le sont, pour de tout autres motifs que leurs véritables mérites. Leur influence « culturelle » compte seulement comme un petit appoint supplémentaire à leur influence mondaine, et la première n'est tolérée qu'à condition que la seconde soit forte. Dans le snobisme comme dans l'amour, rien ne subsiste, après la mort du charme, des bienfaits positifs dont ils étaient censés, l'un et l'autre, favoriser la transmission. Swann, quoique trop sévère pour Viollet-le-Duc, a doublement raison de s'écrier, quand il apprend qu'Odette va visiter le château de Pierrefonds avec les Verdurin : « Penser qu'elle pourrait visiter de vrais monuments avec moi qui ai étudié l'architecture pendant dix ans et qui suis tout le temps supplié de mener à Beauvais ou à Saint-Loup-de-Naud des gens de la plus haute valeur et ne le ferais que pour elle, et qu'à la place elle va avec les dernières des brutes s'extasier successivement devant les déjections de Louis-Philippe et devant celles de Viollet-le-Duc[1] ! »

Il suffit, certes, pour comprendre que les salons et leurs déesses ont toujours été verdurinesques, de lire dans le XVe livre des *Confessions* le portrait de Mme du Deffand, laquelle sut inspirer à Rousseau le plus impérieux désir de fuir par « l'importance qu'elle donnait soit en bien soit en mal aux moindres torche-culs qui paraissaient » et par « son engouement outré pour ou contre toutes choses, qui ne lui permettait de parler de rien qu'avec des convulsions ». C'est le mythe de la hiérarchie sociale des manières et des sentiments qui sort en charpie de la *Recherche*. La politesse des snobs, ballet codifié, « pli professionnel[2] » à l'intérieur du groupe, est moins une politesse que le droit d'être

1. I, 292.
2. I, 724.

grossier à son heure avec les gens du dehors. Une
éventuelle courtoisie à l'égard de ceux-ci se définit
précisément par rapport à une première exclusion, qui
est de principe, et à laquelle il est sous-entendu qu'on
se réserve de revenir à n'importe quel instant. Saint-
Loup, encore pourtant à ce moment de son évolution
où il nous apparaît sous le jour le plus favorable, cette
période où il est « socialiste » et dreyfusard par amour
pour Rachel fait l'éloge de sa cousine Poictiers en ces
termes : « C'est une personne qui fait beaucoup pour
ses anciennes institutrices, elle a défendu qu'on les
fasse monter par l'escalier de service[1]. » Ce trait
prouve à nouveau l'identification, malgré le Gotha,
des façons de réagir et de sentir de la noblesse et de la
grande bourgeoisie, car Mme Verdurin dit, elle aussi,
en apprenant que le père de Morel avait été intendant
chez les grands-parents du narrateur : « Je suis très
contente que le père de *notre* Morel ait été si bien.
J'avais compris qu'il était professeur de lycée[2]. »
Même si les règles gouvernant l'inclusion et l'exclusion
obéissent à un principe totalement incompréhensible
et indifférent à celui qui bénéficie de l'une ou subit
l'autre, la paranoïa du snob ne peut pas croire à cette
indifférence chez ce bénéficiaire ou cette victime. D'où
la scène au cours de laquelle le duc de Guermantes
pétrit la main du père du narrateur. Aux actes, comme
suites de sentiments réellement éprouvés ou de jugements explicites portés sur autrui, cette politesse substitue donc cette gesticulation dont j'ai parlé, autour
d'un trésor imaginaire caché dans un champ, une gam-

1. II, 147.
2. II, 910.

baderie sur la pointe des pieds, exécutée avec la concentration des enfants qui « jouent aux Indiens », et s'imposent des règles complexes et artificielles, codifiées en fonction d'un critère forgé de toutes pièces, étranger à toute humanité, les raffinements de la classe oisive excluant donc toute finesse. D'où la pire des grossièretés inconscientes quand surviennent des questions et des situations autres que de pure forme[1]. Je ne songe pas ici à la géniale insolence d'un Charlus, laquelle, malheureusement, a trouvé trop d'imitateurs pommadés qui (c'était le cas paraît-il d'un ami de Proust, Antoine Bibesco) tombent tout simplement dans l'agressivité lourde et vulgaire : car n'est pas fou qui veut. Or le snob peut devenir sympathique, ou même vraiment bon, seulement quand il est fou. C'est ce qui sauve Charlus, et à un degré inférieur, Legrandin, cet infortuné saute-ruisseau du gratin, toujours hors d'haleine, dont le bon cœur donne l'occasion au narrateur d'écrire que « le snobisme est une maladie grave de l'âme, mais localisée et qui ne la gâte pas tout entière[2] ». Hormis ces cas particuliers, sauvés par une bonté accidentelle, et une sorte de naïf désintéressement dû à la folie, ou encore chez Charlus par une verve et même une invention verbale exceptionnelles, ce qui caractérise la classe oisive, en conclusion, dans l'usage qu'elle fait du loisir, c'est le manque de talent.

En particulier, Proust a le premier mis en lumière crue l'ambiguïté de ce qu'on appelle dans le « monde » une conversation brillante, laquelle jouant sur deux tableaux aborde constamment des thèmes généraux,

1. II, 336 et 435-37.
2. III, 14.

métaphysiques, esthétiques, politiques, mais *bavarde* à leur propos, sans information précise ni exactitude d'expression. Ce qui permet d'opposer à tout rappel à l'ordre éventuel qu'on n'est pas là pour se fatiguer, qu'on parle « à bâtons rompus », sans pédantisme, mais de ne pas renoncer pour autant à l'avantage de paraître préoccupé par des problèmes importants et avoir « des lumières de tout ». Le pseudo « honnête homme » est aussi incapable de parler d'une manière détendue de la pluie et du beau temps que d'une manière tendue de questions complexes. Cette impuissance à être naturel dans les deux cas, au nom précisément du naturel, conduit à se dandiner verbalement, pour parler de choses intéressantes de façon inintéressante et de choses inintéressantes sur un ton intéressant, à produire une conversation analogue aux manières de cette femme dont je ne sais plus qui disait : « Pour une marquise elle a plutôt l'air d'une concierge, mais pour une concierge elle a plutôt l'air d'une marquise » ; conversation d'où l'on sort sans s'être amusé et sans avoir rien appris, perdant sur les deux tableaux, et qui inspire à tout homme intelligent ce mélange pernicieux d'ennui profond et d'épuisement fébrile dont Proust se plaint si souvent. Car, par politesse, par entraînement, il s'efforce de briller, mais il brille à contrecœur, sans penser vraiment ni s'abandonner vraiment, habitant et renforçant ainsi des « moi » de plus en plus légers, de plus en plus stériles. En fin de compte, que peut-on apprendre de la classe héréditairement oisive ? Ce qu'elle nous enseigne à son insu. Et elle serait fort blessée d'apprendre que c'est là l'unique raison qui la rend digne d'attention, alors qu'elle ne l'est nullement partout où elle se croit séduisante ou imposante : « Les grands seigneurs sont presque les seules gens de qui on apprenne autant que des paysans ; leur conversation s'orne de tout ce qui concerne la terre, les demeures telles qu'elles étaient habitées autrefois, les anciens usages, tout ce que le monde de l'argent ignore profondément[1]. »

Il serait plus exact de dire : « le monde de l'argent récent », dans lequel, d'ailleurs, les grands seigneurs plongent aussi des racines. Car on n'est jamais riche que si l'on sait redevenir riche. La princesse de Parme possède une fortune composée d'investissements dernier cri. Elle semble se dire à elle-même, et ses gestes bienveillants semblent répéter : « Tes aïeux étaient princes de Clèves et de Juliers dès 647 ; Dieu a voulu dans sa bonté que tu possédasses presque toutes les actions du Canal de Suez et trois fois autant de Royal Dutch qu'Edmond de Rothschild[2]. » Inversement, les nouveaux riches peuvent conserver une réceptivité, une diversité de caractères individuels, une sensibilité morale dont est privée la noblesse depuis trop longtemps nivelée et sclérosée par ses certitudes et ses habitudes : « Pour les Juifs en particulier, il en était peu dont les parents n'eussent une générosité de cœur, une largeur d'esprit, une sincérité, à côté desquelles la mère de Saint-Loup et le duc de Guermantes ne fissent piètre figure morale par leur sécheresse, leur religiosité superficielle, qui ne flétrissait que les scandales, et leur apologie d'un christianisme aboutissant infailliblement (par les voies imprévues de l'intelligence uniquement prisée) à un colossal mariage d'argent[3]. » Ce qui

1. II, 550.
2. II, 427.
3. II, 408.

confirme l'idée principale : la finesse n'est pas héréditaire, ni transmise par le milieu, elle se dégrade au
contraire avec le temps, cependant que les conceptions
morales deviennent de plus en plus étroites et égoïs-
tes : ce n'est pas chez les nouveaux riches, mais dans la
noblesse qu'il est infamant « d'épouser un forçat ou,
qui pis est, un homme divorcé[1] ».

Pour voir avec quelle rapidité s'atténuent les différences entre les nouveaux riches et les vieilles familles
— les différences qui sont à l'avantage des premiers
comme celles qui sont à l'avantage des secondes — il
suffit de comparer la *Recherche* avec le classique essai
de Thorstein Veblen : *la Théorie de la classe oisive*[2].
Car il est notoire que ce livre dissimule sous l'apparence d'une théorie générale une critique particulière
de la haute société américaine de la seconde moitié du
XIXᵉ siècle, les Vanderbilt, les Gould, les Harriman,
c'est-à-dire d'une classe d'alors nouveaux riches, et
bien localisée dans le temps et dans l'espace. Or il est
intéressant de constater la précision avec laquelle
l'analyse de Veblen recouvre trait pour trait la description que Proust commencera à faire dix ans plus tard
d'une classe oisive infiniment plus ancienne, située
dans un pays où les nouveaux riches eux-mêmes n'ont
pas à inventer mais trouvent élaborées et léguées par la
tradition les recettes de vie qui leur sont nécessaires. Il
est improbable que Proust ait jamais lu ou même
connu l'existence de Veblen (qui aujourd'hui encore

1. II, 152.
2. *The Theory of the Leisure Class,* 1899. Tr. fr. *Théorie de la
classe de loisir,* traduit de l'anglais par Louis Evrard, Gallimard,
1970.

est presque ignoré en France[1]) et il semble donc avoir
été perspicace par la pénétration avec laquelle il s'est
trouvé en coïncidence involontaire, sans sortir de son
mode d'expression littéraire original, avec certaines
théories contemporaines de son œuvre — la sociologie
de Veblen, la psychologie de Freud, inconnues de lui
— beaucoup plus que par l'utilisation systématique et
toute rhétorique qu'il a faite des philosophies qu'il
connaissait de façon plus ou moins directe, principalement celle de Bergson.

Comme celle de Proust la classe oisive de Veblen,
dont les usages composent ce qu'il appelle « la civilisation barbare à son stade suprême » (« higher barbarian
culture »), ne comprend pas seulement des individus
réellement inactifs. Le terme loisir n'implique pas l'immobilité ou l'inertie, mais la consommation improduc-
tive de temps. Appartient également à cette classe tout
ce qui se consacre aux activités ayant pour trait commun le maniement des hommes, à l'exclusion de toute
action sur les choses, laquelle définit au contraire l'appartenance aux classes moyennes et inférieures. Cette
action de l'homme sur l'homme doit comporter, bien
entendu, une nuance de commandement, car la simple
exécution ne suffit pas, et on ne saurait comprendre
dans la classe oisive de la haute civilisation barbare les
travailleurs constituant ce qu'on nomme aujourd'hui
les « cadres ». Les activités du loisir se ramènent donc
en gros à celles-ci : la direction de la politique et de la
haute administration, celle de la guerre (ou de l'armée
en temps de paix), la profession religieuse, et le sport,
du moins les formes coûteuses du sport ou de la chasse,

1. Ecrit en 1960 (note de 1982).

celles qui exigent un attirail compliqué et des conditions à la portée du très petit nombre, la dépense
d'énergie physique n'étant admise qu'à condition d'at-
tester en même temps une oisiveté et une dépense
d'argent également ostensibles. Dans certaines formes
évoluées de la haute civilisation barbare, l'érudition
désintéressée prendra place parmi les occupations
nobles. Bien entendu, même quand ces activités sont
lucratives, le lucre ne devra jamais apparaître comme
le but poursuivi, et il doit éclater qu'on les exerce pour
des raisons étrangères à la nécessité de gagner sa vie. Il
n'est que de lire avec quel dégoût Saint-Simon parle de
ces gens qui font carrière pour avoir « du pain ». Chez
Proust, M. de Norpois incarne l'idéal de l'oisif à fonction : ambassadeur et possesseur d'une fortune personnelle colossale. Quant à Swann, il offre la combi-
naison tardive de l'argent et de l'érudition
désintéressée (l'érudition rémunérée rabaissant le
savant au niveau du phraseur ridicule et à peine toléré,
tel Brichot). Quant au loisir sans fonction précise —
avant tout celui des femmes — il est loin, lui aussi,
d'être synonyme de repos absolu. On ne peut s'empêcher de penser à la phrase d'Oriane déjà citée plus
haut : « Vous n'aimez pas le monde ? Vous avez bien
raison. C'est assommant. Ah ! si je n'étais pas obligée... », quand on trouve le texte où Veblen analyse
l'attitude des « personnes dont le temps et l'énergie
sont consacrés à ces activités » (clubs, vie mondaine,
organisations de charité, etc.) et qui « avouent en
confidence que le respect de telles obligations, aussi
bien que l'obligation qui s'y attache de prendre soin de
la façon dont on s'habille, etc. sont extrêmement
ennuyeux mais absolument inévitables ». — Ce n'est

pas là le seul point sur lequel Veblen et Proust concordent avec une précision qui va parfois jusqu'à l'identité non seulement des idées mais des images et même des mots. Par exemple, Veblen lui aussi porte au crédit de la classe oisive le fait qu'« elle conserve des traditions, des usages et des habitudes de pensée qui appartiennent à un plan culturel archaïque ». Parfois il éclaire par avance Proust, à propos de la « politesse supérieure », en dévoilant la raison profonde des petits ballets que dansent le duc de Guermantes et M. de Charlus, le secret de la bonté de commande qui sucre le visage de la princesse de Parme, manières qui sont, dit Veblen, « une pantomime symbolique de domination d'un côté, de subordination de l'autre ».

L'étude des domestiques du monde de la « haute barbarie » est d'une drôlerie et d'une pénétration égales chez les deux auteurs — car Veblen est un écrivain d'un immense talent — et par moments on ne sait qui on lit, du romancier ou du sociologue, lorsque celui-ci nous explique pourquoi la domesticité de la classe oisive participe elle-même à cette classe et, par un certain biais, s'en considère comme un fragment, puisqu'elle doit, de toute obligation, posséder certaines caractéristiques qui la rendraient inapte à tout autre emploi. Par leur haut degré de spécialisation et donc de diversité, les domestiques doivent offrir la preuve constante qu'ils ont été formés exclusivement en vue du service auquel ils se consacrent. Les conseils donnés par Saint-Loup à l'un des valets de sa tante sur les ruses à employer pour faire renvoyer un autre valet tendent tous à faire organiser un complot donnant à la victime l'allure d'un « lourdaud[1] ». Et Veblen : « C'est un

1. III, 470-471.

grief sérieux que le sommelier ou le cocher d'un gentle-man remplissent leurs devoirs dans un style si informe qu'on en puisse penser que leur occupation habituelle est de labourer ou de mener paître des moutons ». La dignité suréminente d'Aimé, la fierté de l'« aboyeur » de la princesse de Guermantes, le délire mégalomane du directeur du Grand-Hôtel de Balbec, marqué par le jour exceptionnel où il a « découpé lui-même les din-donneaux », illustrent les textes de Veblen concernant la participation des domestiques à l'essence supérieure de la classe de loisir. Et qui pourra ne pas songer avec émotion au défilé des robes de Fortuny offertes par le narrateur à la Prisonnière, en lisant, dans le chapitre de *la Théorie de la classe oisive* intitulé *le Vêtement comme expression de la civilisation de l'argent*, que « les talons hauts, la jupe, l'impraticable chapeau, le corset, et en général l'absence de considération pour le confort de l'usagère... sont autant de preuves... que la femme est encore... économiquement dépendante de l'homme, que, peut-être dans un sens hautement idéa-lisé, elle est encore l'esclave de l'homme... Ce sont des servantes auxquelles... a été déléguée la charge de rendre visible la capacité de leur maître de payer[1] ». Car la force de l'argent est, pour Veblen aussi, le seul élément commun à toutes les formes de snobisme. Bien qu'il ne suffise pas toujours à lui seul et immédia-tement à permettre l'accession à la classe oisive, il finit toujours par y conduire et permet seul d'y rester. L'ac-cession peut suivre d'une génération l'acquisition de

1. Je n'entre pas ici dans la question de savoir si les modèles d'Albertine étaient des hommes. Je m'en tiens à la lettre du roman. Et d'ailleurs je trouve Albertine un personnage littéraire entière-ment, minutieusement, impitoyablement féminin.

l'argent et l'expulsion suivre d'une génération sa perte, pas davantage.

Ainsi, Proust passe de la satire mondaine à la critique sociale, simplement en appuyant nettement les traits d'une description en finesse, à la fois juste et caricaturale. Or c'est là ce que doivent faire le romancier et le mémorialiste. Ils ne sont pas géologues, ils sont paysagistes, mais à travers leur paysage, on parvient à lire la géologie d'une contrée. Un romancier et un mémorialiste ne sont pas plus censés connaître les bases économiques d'une société qu'ils ne sont censés, en psychologie, connaître à l'avance les complexes freudiens : ils peuvent retrouver les unes et les autres à partir du détail quotidien, mais doivent alors les retrouver spontanément, en traçant leur dessin à eux, et non point feindre de dessiner tout en suivant un pointillé marqué à l'avance ; ou alors ils n'ont qu'à se consacrer à la sociologie, à l'économie politique, à la médecine. Accepter de partir des détails périphériques suppose qu'on prend le risque de trouver autre chose que ce qu'on pensait trouver, si on pensait quelque chose. S'il n'existe plus aujourd'hui de littérature révolutionnaire, c'est que les écrivains dits de gauche s'imaginent qu'il suffit de critiquer les « infrastructures », mais vénèrent toutes les valeurs morales et esthétiques les plus éculées de la bourgeoisie. Or, les infrastructures sont loin sous terre, elles n'agacent personne. Ce n'est pas elles qu'on perçoit. Certains révolutionnaires de 1960 n'aiment pas le principe de la bourgeoisie mais en adorent toutes les conséquences. Volontiers ils froncent le sourcil devant ce qu'ils prennent chez Proust pour de la complaisance à l'égard des parfums troublants et fétides de la décadence, mais ils trouvent

tous les Norpois qu'ils rencontrent « vachement
impressionnants » et les Mme de Cambremer fines,
complexes et hautement cultivées, — « une de ces
femmes comme seule, disons ce qui est, la grande
bourgeoisie peut en produire ». Il semble aujourd'hui
que des gens qui se disent officiellement de gauche
soient en deçà de la critique que la bourgeoisie, de
1850 à 1930, s'est opposée à elle-même, œuvre de ses
membres les plus lucides, essentiellement d'un point
de vue moral et psychologique, mais qui conduisait de
force à une condamnation politique et sociale. Sans
doute faut-il voir dans ce tiédissement, dans cette
vénération pour les tabous moraux, religieux, littéraires et stylistiques que l'on pouvait, vers 1900, espérer
pour jamais sans prestige, au moins aux yeux des intellectuels, et dans cette vitesse forcenée avec laquelle se
multiplient les Legrandin, un effet de cette opération
réactionnaire à long terme, commencée vers 1930, et
qui a consisté à revendiquer la phraséologie révolutionnaire, tout en lui injectant un contenu d'ordre
moral, de fidéisme et de naïveté esthétique. C'est
pourquoi on se contente aujourd'hui d'attaquer les
infrastructures : vous pouvez tout dire sur l'aliénation,
mais rien sur les aliénés.

C'est pourquoi aussi le monde que satirise Proust est
loin d'être suranné. Aujourd'hui certes, il n'y a plus
guère de salons : ils ont été remplacés par les maisons
de campagne ; et les « matinées » ont fait place aux
week-ends. Mais sous le pull-over à col roulé comme
jadis sous l'habit, c'est le même « cœur révélateur »
qui bat. Sous le toit tourangeau ou normand la même
conversation se poursuit, les mêmes lieux communs
déguisés en paradoxes ; la même affectation de naturel

et d'innocence couvre des gestes et des intonations également mécaniques, et c'est la même certitude sous-entendue d'être l'unité d'étalonnage de l'art de vivre, le centre des choses à partir duquel s'échelonne et décroît en s'éloignant la valeur du reste des humains, mesurée à sa ressemblance plus ou moins fidèle avec la petite assemblée qui regarde, ce soir, le feu de bois, si discrètement fière d'être si elle-même. Enfin, c'est aussi la même précipitation de prévenance militante dans les détails, superposée à l'incivilité foncière, c'est l'invasion des gentillesses minuscules, des petits cadeaux stupides, des téléphonages superflus côtoyant la sécheresse et l'égoïsme.

Proust, cependant, pourrait très bien, comme Tolstoï dans *Anna Karénine*, faire la satire de la classe de loisir et du haut personnel dirigeant, sans tirer de cette satire toutes ses conclusions historiques et politiques. La parenté est grande, en effet, dans la peinture sardonique des gens du monde, entre Proust et Tolstoï[1]. Tolstoï, comme Proust, montre simultanément ce qu'un personnage en représentation croit être et ce qu'il est, avec aussi l'impression qu'il veut donner de lui et le lien entre ses propos et, non pas ce qu'il veut exprimer, mais ce qu'il exprime malgré lui. Les caractères de domestiques sont compris, dans *Anna Karénine*, de la même manière que chez Proust, par exemple le régisseur Lévine[2]. La grande différence tient évidemment à ce que Tolstoï est dramatique, raconte une histoire, alors que chez Proust il ne se passe rien.

1. Particulièrement proustiens me semblent les chap. IV à VIII de la IIᵉ partie d'*Anna Karénine*.
2. Notamment, *Anna Karénine*, II, 13.

De plus, à part son coup d'œil mondain, Tolstoï possède un sentiment direct des choses naturelles, une force de sensation (l'admirable journée avec les faucheurs, III, 5 et 6), auprès de quoi pâlissent les laborieuses descriptions de Proust. Chez Tolstoï, il y a non seulement du Proust, mais du Rousseau — et malheureusement aussi du fakir. L'auteur d'*Anna Karénine* tire en effet des conséquences spiritualistes de ses constatations sociales alors que Proust rattache les siennes à leurs racines réelles et les prolonge par un aperçu politique.

La politique est partout présente, dans la *Recherche*, d'abord sous la forme de l'affaire Dreyfus, le réactif moral de la Belle Époque, qui ne manque à presque aucune conversation de salon, de restaurant, de bains de mer, d'office, de mess d'officiers, de maison close ou de cabinet particulier, puis, plus tard, sous la forme de la guerre de 1914-1918, à propos de la retombée en enfance de l'intelligence collective (phénomène commun à toutes les guerres) qu'elle provoqua. La *Recherche* enregistre la médiocrité du personnel administratif, en statuant la sottise pompeuse d'un Norpois (« tous les *quoique* sont des *parce que* méconnus ») ou le carriérisme véreux d'un Bontemps, — comptabilise l'incompétence des hommes politiques et de l'État-Major, dont la publication récente[1] des *Carnets secrets* d'Abel Ferry a confirmé la cruelle réalité à l'époque où Proust écrivait, en prouvant avec quelle stupidité et quel dédain des vies humaines avait été conduite la guerre 14-18. Un autre aspect classique de la dégradation morale provoquée par les guerres est cette évolu-

1. Ecrit en 1960.

tion vers la droite et le bellicisme d'hommes politiques primitivement de gauche, auxquels, en échange, la droite pardonne leur passé. C'est là ce que résume le personnage de Bontemps : « Qui eût pu tenir rigueur à Mme Bontemps que son mari eût joué un rôle âprement critiqué par *l'Écho de Paris* dans l'affaire Dreyfus ? Toute la Chambre étant à un certain moment devenue révisionniste, c'était forcément parmi d'anciens révisionnistes, comme parmi d'anciens socialistes, qu'on avait été obligé de recruter le parti de l'ordre social, de la tolérance religieuse, de la préparation militaire... Bientôt ce nom (de dreyfusard) avait été oublié et remplacé par celui d'adversaire de la loi de trois ans. M. Bontemps était au contraire un des auteurs de cette loi, c'était donc un patriote[1]. » Ne croirait-on pas entendre retracer l'évolution du personnel de la S.F.I.O. en 1956 ? Remplaçons « Affaire Dreyfus » par « Résistance », Bontemps par Guy Mollet, loi de trois ans par guerre d'Algérie, et le schéma reste « valable », comme dirait précisément un S.F.I.O.[2] *Le Temps retrouvé* constitue une fin de non-recevoir discrète, mais tenace et ferme, opposée au bourrage de crâne et à l'émulation chauvine. A l'époque où tous les écrivains français se laissent plus ou moins embrigader, où la raison de Gide vacille, où Valery Larbaud déplore, de sa retraite d'Alicante, de ne pouvoir « servir », où le malheureux Apollinaire vérifie cette loi qui veut qu'en tout poète français il y ait un Déroulède qui sommeille (et avec quelle jus-

1. III, 926.
2. « Section française de l'internationale ouvrière ». Ancien nom du parti socialiste.

tesse, en 1945, Benjamin Péret dans *le Déshonneur des poètes* n'a-t-il pas fustigé la résurgence de ce phénomène au cours de la Seconde Guerre mondiale), il est satisfaisant de constater que le plus grand écrivant vivant au cours de cette période de gâtisme sanguinaire a gardé toute sa tête et n'a souillé de thèmes impurs ni sa conscience ni son œuvre. Il faut sans doute aller dans le passé jusqu'à Montaigne pour trouver un auteur qui, au début indifférent à la politique, soit contraint de s'en préoccuper par l'énormité des abus dont il est témoin, et, dans un de ces moments où une civilisation jette d'un seul coup par terre les quelques barrières qu'elle a édifiées pendant des siècles contre la barbarie et la bêtise, adopte une position juste, par simple intransigeance morale et par perspicacité psychologique.

L'hypocrisie inévitable que sécrète une nation civilisée qui accomplit des actes barbares, et donc doit mentir et se mentir, puisqu'elle doit feindre de se réclamer de ses principes officiels — religieux jadis, à la fois religieux et libéraux aujourd'hui — pour couvrir des actions qui leur sont contraires, engendre (nous l'avons revu du fait de la guerre d'Algérie) une savoureuse distorsion du vocabulaire et de la pensée à laquelle Proust a été très attentif. Devant ces gens qui disent[1], parce que la princesse de Guermantes est allemande, aime Wagner et que son mari a été honnêtement convaincu par les arguments révisionnistes : « Chaque fois que vous trouverez un dreyfusard, grattez un peu. Vous ne trouverez pas bien loin le ghetto, l'étranger, l'inversion ou la wagnéromanie », il est

1. II, 1185.

difficile de ne pas penser à une phrase, proférée en 1953 ou 1954 par un ministre de l'Intérieur, qui visait les partisans de la négociation en Indochine, chez lesquels il stigmatisait « la déviation à la fois intellectuelle et sexuelle qui passe par Saint-Germain-des-Prés ». Cette « déviation qui passe » nous signale qu'il existe des âneries de langage issues de la malhonnêteté, des solécismes de l'hypocrisie, auxquels on est condamné lorsqu'on doit à la fois nommer et ne pas nommer une chose, affirmer sans dire, promettre sans s'engager, et mentir noblement. Les éditoriaux de Brichot que décortique Charlus, les périphrases de M. de Norpois, les discours que le maître d'hôtel du narrateur tient à Françoise pour la terrifier, montrent que tout le monde, des ministres aux valets de chambre, est, à cause de la guerre, en pleine folie. Proust se place à la source où s'élaborent le vocabulaire du bourrage de crâne et les mécanismes de l'imposture destinés à prévenir tout danger de discussion rationnelle. Et aucune image ne mérite autant de passer à la postérité à titre de statue du patriotisme bourgeois que celle de Mme Verdurin lisant dans un journal du matin le compte rendu des opérations militaires et la nouvelle du torpillage du *Lusitania*, tout en trempant dans son café au lait un croissant qu'à cause des restrictions alimentaires il a fallu une ordonnance de Cottard pour faire faire — le médecin n'hésitant pas en l'occurrence à certifier que ce croissant était le seul médicament contre la migraine de sa patiente.

Qu'est-ce qui a pu conduire Proust, malgré son manque de connaissances en économie et en sociologie (lorsque Saint-Loup et lui lisent Proudhon, on dirait qu'il s'agit de quelque poète curieux) à se soustraire à la pression ambiante et à l'aveuglement de son milieu ? Cela prouve qu'à elle seule une réflexion psychologique sur l'histoire, sur les hommes politiques, sur une classe sociale peut mener à la vérité, puisque, aussi bien, l'injustice engendre chez ses auteurs des distorsions psychologiques que le moraliste, le mémorialiste et le romancier perçoivent directement comme telles, et à travers lesquelles ils déchiffrent les causes. Mais la finesse nécessaire à la reconstitution d'un ensemble de facteurs historiques lorsqu'on part de la psychologie d'une société est le fait de peu d'écrivains : de Proust, de Montaigne, de La Bruyère, de Flaubert — certainement pas de Saint-Simon ni de Balzac qui, au contraire, s'en tiennent ou aboutissent à des opinions politiques exactement opposées à celles qui devraient ressortir de leurs propres constatations. C'est qu'il est besoin d'une sensibilité morale fort peu répandue pour — sans information politique spécialisée — prendre conscience de l'injustice lorsqu'on est l'un de ceux qui l'exercent, et que, pour soi-même, tout cela n'est en somme que la vie quotidienne.

On ne compose pas avec le fanatisme, telle est enfin la leçon qu'en pleine épidémie de chauvinisme barrésien nous donne Proust. La ruse du fanatisme consiste à invoquer le caractère respectable des causes qu'il prétend servir — salut du peuple, grandeur nationale, prospérité, inhumation de ses propres victimes — pour imposer silence à ceux qui le dénoncent précisément à cause de cette imposture. C'est pourquoi on ne doit pas transiger avec l'injustice, ni se mettre en position d'attente devant le mensonge, ni faire des concessions à la violence, ni sa part à l'intolérance. L'intolérance, par définition, ne compte pas sur des arguments, des

« échanges d'idées » avec ses adversaires pour s'imposer, mais sur des positions de force, les seules sur
lesquelles elle puisse s'appuyer et qu'elle puisse élar-
gir. S'imaginer que si on évite de la brusquer elle va
s'apaiser d'elle-même, c'est s'incliner devant un besoin
d'expansion par définition insatiable puisque non
fondé en droit ni en raison. Cette naïve tactique est un
suicide : les préjugés ne sont jamais reconnaissants.

CHAPITRE IV

L'AMOUR

Car l'amour espère toujours que l'objet qui alluma cette ardente flamme est capable en même temps de l'éteindre.

LUCRÈCE, IV (1085-1086).

Ne montons plus la garde à sa porte, Aratos, et n'usons plus nos jambes ; que le coq matinal, en chantant, en livre un autre que nous aux pénibles torpeurs. Que Molon seul, cher ami, perde le souffle à cette gymnastique. Pour nous, songeons à avoir la paix.

THÉOCRITE, *Thalysies*, VII (122-262).

Les deux fragments de poèmes rapprochés ci-dessus en exergue condensent les deux dispositions qui se partagent le cœur du narrateur de *la Prisonnière* et qui coexistent dans toute passion : l'aspiration à s'enfermer de plus en plus en elle et l'aspiration à la fuir ; le besoin d'en faire toujours davantage le seul point de contact avec la vie et au contraire le sentiment, à chaque instant, que c'est elle qui nous sépare de la vie et nous en interdit les joies les plus simples ; la passion éprouvée comme intensité suprême de la sensibilité, quoique jamais atteinte, mais seule vraie, et la passion ressentie au contraire comme dessèchement, retranchement, aveuglement au spectacle du monde et éloignement des plaisirs mêmes de l'amour ; la passion, enfin, conçue comme unique apaisement d'elle-même et donc sa croissance, infiniment désirée, comme indispensable, et au contraire le rêve intermittent de se *dispenser*, précisément, et d'un seul coup, de la passion, de s'en détourner et, tel le prisonnier de Platon, de lui échapper, non point après un accommodement avec elle, mais en faisant brusquement demi-tour et en dirigeant le regard vers des lieux d'où son objet est absent.

Mais cette dernière tentation, ce n'est bien, en effet,

qu'en rêve que nous pouvons y céder. Le spectacle du monde, l'aimable variété des perspectives possibles d'autres manières de vivre ne nous séduisent qu'en apparence, c'est-à-dire dans les moments où la passion est provisoirement satisfaite et où par conséquent notre dépendance est moins sentie. Mais si la vie nous prend au mot, ou, ce qui arrive également, si nous-mêmes nous prenons au mot, alors c'est aussitôt la torture et nous nous apercevons vite que la passion n'était pas seulement le contenu de notre existence, mais sa condition. Loin de nous priver du charme de cette herbe verte, de cette passante qui nous jette un coup d'œil, de cette exposition de peinture que nous remettons chaque jour d'aller voir, de l'ami auquel nous n'avons pas le temps de téléphoner, bien au contraire lorsqu'on nous retire brusquement l'être que nous aimons, nous constatons aussitôt que, sans la passion, nous avons accès à moins de choses encore, qu'elle était l'intermédiaire exclusif entre nous et l'extérieur, qu'elle nous séparait de la vie dans le sens où le bateau sur lequel nous sommes au milieu de l'océan nous sépare de l'eau. Marcel, sortant avec Albertine, la sent devenir étrangère à lui, la regarde comme l'obstacle qui s'interpose entre ses désirs et la foule des autres êtres, ils vivent un de ces moments où deux amants roulent chacun leurs pensées, où tous deux le savent, et les roulent en vain, du reste, car toute réalisation de ces pensées est impossible tant que la passion dure ; les plaisirs, ou la simple paix, ou le besoin d'activité, caressés en imagination comme interdits par l'autre, n'auraient de saveur que si, contradictoirement, cet autre continuait d'y être asso-cié. Il suffit que le plus petit motif de jalousie pointe à l'horizon, ou qu'Albertine soit partie, pour que sans délai s'impose l'évidence qu'il n'y a pas de choix entre la passion et une autre vie, mais seulement entre la passion et la mort, ou la folie. (Certes, l'expérience prouve dans presque tous les cas que cette « mort » ou cette folie seront provisoires, il n'en est pas moins vrai que, vues de l'intérieur de la passion, elles sont les seuls autres termes de l'alternative.)

C'est pourquoi la guérison de la passion est aussi accidentelle que sa naissance. On ne peut pas plus en sortir volontairement, raisonnablement, qu'on ne peut l'aménager en y restant, l'installer dans la vie quotidienne. C'est plutôt la vie qui cesse d'être quotidienne, la passion nous oblige soit aux crises incessantes des séparations et des réunions, soit à la séquestration anormale et toujours insuffisamment hermétique de *la Prisonnière*. C'est pourquoi aussi les conversations des amants à leur propre sujet sont à la fois inéluctables et stériles ; inéluctables puisqu'une passion heureuse n'est qu'une passion devenue encore plus impossible à combler, stériles puisqu'elles ne pourraient éclairer quoi que ce fût qu'après la disparition de la passion, c'est-à-dire de l'angoisse inspirée par les réactions possibles de l'autre. Mais après cette disparition, l'objet même du différend ayant disparu aussi, il n'y aura plus personne pour s'intéresser au débat jadis ouvert par et entre deux êtres devenus étrangers l'un à l'autre (je reviendrai sur cette question dans le chapitre VI consacré au pessimisme proustien). « On a bien de la peine à rompre quand on ne s'aime plus » a dit La Rochefoucauld. Mais, quand on s'aime, si on rompt avec la plus extrême facilité, on sait que cette rupture est irréalisable. Donc, en définitive, on ne rompt jamais. Proust le dit[1], dans la passion la rupture n'est jamais de bonne foi, elle est une manière, de la part de celui qui en prend la feinte initiative, de forcer l'autre à reposer tous les problèmes de sa passion et, comme on dit pudiquement, de ses « rapports » avec lui, et cela dans le but de couper court au laisser-aller des velléités d'indépendance, des petites impertinences narquoises et des grandes inquiétudes, dans le but de donner un « tour de vis », d'effectuer une « reprise en main ».

Proust s'est donné la partie facile, contrairement à ce qu'il a fait dans sa critique du snobisme, en choisissant en Albertine un être effectivement infidèle et couchailleur. Son récit eût été encore plus beau s'il avait montré que les phénomènes que je viens d'essayer de résumer d'après lui se produisent même entre amants fidèles.

Quel doute de lui-même, quelle soif de se présenter constamment sous le jour le plus défavorable, d'envisager dès le premier instant, avant même qu'elle naisse, une passion telle qu'elle *sera*, quand elle sera entrée dans la phase de destruction réciproque des amants ! Car, en définitive, le narrateur de la *Recherche* est toujours trompé, ou écarté. Il aime Mme de Guermantes sans la connaître et, bien entendu, sans être payé de retour. Gilberte, Albertine sont des êtres qu'il poursuit et qui le fuient. Jamais il n'est question que ce soit lui qui se lasse de quelqu'un, sauf après en avoir été copieusement repoussé. A la différence de tant d'autres, Proust ne se présente jamais comme celui qui fait souffrir, qui est aimé plus qu'il n'aime. Il y a chez lui une grande humilité, une curieuse absence

---

1. III, 341 et suiv.

d'amour-propre dans le fait, par exemple, qu'il n'émet pas un instant l'hypothèse que son charme pourrait à lui seul ôter à ses partenaires l'envie de lui être infidèles. Il y faut encore des moyens externes, un encadrement disciplinaire et une bonne police. Moyens inutiles du reste : les maîtresses proustiennes, et pas seulement celles du narrateur, n'attendent que l'occasion d'être laissées trois minutes seules pour « expédier une passade[1] ». A peine a-t-on le dos tourné qu'elles se sont éclipsées dans les toilettes avec le maître d'hôtel. Pourquoi Rachel au restaurant se met-elle à « faire de l'œil à un jeune boursier » — non seulement afin de faire enrager Saint-Loup, mais (Proust le souligne) souvent aussi dans l'intention de retrouver réellement ensuite l'inconnu, — du moins pourquoi le fait-elle *ce jour-là*, puisque Saint-Loup n'est presque jamais à Paris, sinon parce que l'auteur veut en revenir et tout ramener à l'universelle conduite féminine de *s'échapper*, conduite particulièrement superflue dans ce cas, car Rachel ne se trouve que très rarement sous le contrôle de Saint-Loup ? Proust pose le principe qu'on aime toujours sans être aimé. C'est là d'ailleurs la raison probable pour laquelle, malgré les plus atroces souffrances de jalousie, son amour ne se mue jamais en haine, description du dynamisme de l'amour-passion qui, pour une fois, diffère radicalement du schéma racinien. Encore une chose que Proust a décrite : en amour on ne peut jamais se venger, soit qu'on se détruise soi-même en le faisant, soit qu'on n'en ait plus la moindre envie. Il est vrai que lui, toujours à cause de son absence d'amour-propre, n'en

1. II, 165.

éprouve jamais le besoin. Car on retrouve partout chez Proust cette humilité de principe, ce manque primordial de confiance en soi, cette certitude robustement turque, à savoir que « les femmes de notre vie » ne peuvent être que des prisonnières ou des fugitives, en attendant de nous devenir indifférentes.

Lorsqu'elles nous le sont devenues, ou avant que notre passion ne commence, il arrive qu'elles se « jettent à notre tête », comme Gilberte. Et, en dehors de l'amour-passion, on éveille soi-même les désirs et les inclinations, même les débuts de passion des autres, à condition de ne pas en éprouver soi-même. Tout se passe comme si l'amour-passion mettait instantanément le partenaire en fuite, comme si la passion ne pouvait susciter en face d'elle que la non-passion. Si l'on peut retenir un être aimé, ce n'est que par l'intérêt, la « bienveillance dans son sens le plus efficacement protecteur » que témoigne à Morel le baron de Charlus.

Bien sûr, il y a quelque simplisme dans cette mécanique : quand je te veux, tu ne me veux pas, quand tu me veux, je ne te veux pas. On trouverait probablement des constatations psychologiques de ce niveau-là chez André Roussin ou Jean de Létraz. Proust a eu tort de présenter cette négation comme la seule éventualité. Il est faux qu'il en soit *toujours* ainsi. Mais selon Proust, même s'il n'en est pas toujours ainsi, il en *devrait* être toujours ainsi. Le vrai hasard, dû à une « coïncidence », c'est qu'il en aille autrement. La vraie illusion, c'est que « ça s'arrange », car dans son essence l'amour dit partagé continue en fait à ne pas l'être. Ce n'est jamais qu'un malentendu et un mensonge, sauf peut-être à un certain moment très bref où se produit, pour reprendre une définition désuète mais exquise du hasard, la « rencontre de deux séries indépendantes ». Mais surtout Proust se distingue de Létraz parce que la loi, générale selon lui, d'après laquelle les êtres s'offrent à notre désir ou trop tôt ou trop tard, et le fuient lorsqu'il les recherche, tient moins aux circonstances qu'au fait qu'il ne s'agit pas du tout du même désir dans les deux cas. Quand nous ne désirons pas un être, s'il paraît s'offrir à nous c'est précisément que nous le désirons très peu. La même « offre », si le désir devenait passion, paraîtrait dérisoire. Le passage brusque du premier désir au second se produit dans l'épisode célèbre du retour en train, avec Albertine, à la fin de *Sodome et Gomorrhe*. D'abord Albertine importune et agace le narrateur, sa présence déborde de beaucoup le besoin qu'il a d'elle ; puis, après la phrase fatale sur Mlle Vinteuil, aucune présence ne pourra plus jamais satisfaire la passion qui vient d'éclater. Car en fait, dans *la Prisonnière*, il n'est pas du tout dit qu'Albertine n'aime pas le narrateur. La vie qu'ils peuvent mener leur serait enviée par bien des amants. Les infidélités mêmes, si épisodiques, d'Albertine, si on les oppose au don total qu'elle fait de son existence, sont-elles la véritable cause de la souffrance du narrateur ? La fatalité qui pèse dès le début sur *la Prisonnière* est plus essentielle. L'échec de la passion est inéluctable, il appartient à sa nature, et la recherche, la découverte des infidélités est bien plutôt comme une sorte de confirmation externe : on peut dire d'elles, comme on l'a dit de Dieu, et avec autant de raisons de croire au succès, que si elles n'existaient pas il faudrait les inventer. Ce n'est pas la découverte des infidélités qui fait échouer la passion, mais le sentiment de l'impossibilité du bonheur dans la passion qui incite à la recherche des preuves d'infidélité, et d'ailleurs rend l'infidélité même inévitable, car, pour la passion, qu'est-ce qui n'est pas infidélité ? L'objet qu'on aime avec passion devient de ce fait même infidèle, toujours en retrait sur notre folie.

Pourquoi ? Proust a décrit ce fait que nous pouvons être conscients du peu d'intérêt ou de beauté d'un être, et pourtant l'aimer et surtout souffrir de le perdre, parce qu'il joue le rôle d'agent de liaison, de trait d'union entre nous et l'amour, nous donne accès à une vie où l'amour existe, que l'amour nettoie de tout ennui, une vie où, quoi qu'il arrive, nous ne sommes jamais seuls ou plutôt ne nous sentons jamais seuls, car le fait essentiel est la *possibilité* constante de communiquer avec quelqu'un, et non pas le fait de se trouver toujours en sa compagnie. Même, parfois, on peut fuir cette compagnie, la trouver importune : il reste qu'en profondeur la solitude est constamment conjurée. Et c'est bien l'annonce d'une solitude irrémédiable qu'apportera, avec l'âge, ce jour « triste comme une nuit d'hiver » où le narrateur devra admettre que seul l'argent, et non l'amour, pourvoira à ses plaisirs sexuels d'une nuit, avec des êtres « qu'on ne reverra jamais ». Jusque-là, ce n'est pas parce que l'objet est aimable et aimé que l'amour existe, mais *pour* que l'amour soit que l'objet est aimé. L'amour, chez Proust, n'est donc pas un mécanisme interne et autarcique dont l'objet ne serait que le prétexte, écran où se projetteraient nos hantises subjectives ; sans doute cette projection n'en est jamais absente, et le visage d'une passante que peut-être nous pourrions aimer n'est parfois qu'« un espace vide sur lequel jouerait tout au plus le reflet de nos désirs[1] ». Mais, en même temps, le désir d'aimer se dirige bien vers l'extérieur, il est le signe du besoin d'échapper à soi-même, quoiqu'il s'adresse moins à des « propriétés » objectives, des « qualités » inhérentes à l'objet qu'il ne cherche, *à travers l'objet*, au-delà de l'objet, le fait même d'être amoureux de cet objet et aimé de lui. C'est pourquoi la personne aimée est toujours à la fois un absolu, puisqu'elle est le seul moyen d'accéder à l'amour, et un collaborateur dont on se méfie, puisqu'un individu empirique, contingent, avec ses limites, ses sautes d'humeur, sa fausseté, sa versatilité, éventuellement sa bêtise, sa veulerie, peut ne pas être le collaborateur idéal, peut même être le pire collaborateur possible. C'est pourquoi aussi il nous habite tout entier et nous est, en même temps, étranger. Dans le moment même où sa perte nous ferait souffrir mille morts, il nous arrive de le considérer dans la vie quotidienne d'un œil sardonique et de détailler avec résignation ou agacement son incurable banalité. Ensuite, lorsqu'il a cessé d'exister comme objet d'amour, l'individu contingent qui demeure nous devient plus lointain et indifférent que n'importe qui d'autre, nous n'éprouvons même pas pour sa destinée ultérieure la curiosité que nous éprouvons pour les plus distantes de nos relations, le plus vague de nos camarades. C'est que nos liens avec ce dernier, si lâches soient-ils, ont été établis à cause de qualités qui lui appartiennent indépendamment de ses rapports avec nous. Ces liens tiennent à des raisons durables,

1. III, 1045.

fussent-elles mineures. Au contraire, l'individualité indépendante de nous que redevient l'être aimé s'effondre pour nous, quand s'effondre l'amour, dans le néant. Proust, recevant à Venise le télégramme signé par erreur Albertine[1] qui lui fait croire un instant qu'elle n'est pas morte, n'éprouve même pas la *curiosité* de la revoir, fût-ce une minute, et non par peur de souffrir, mais par manque d'intérêt. Nous sommes aussi loin des femmes que nous n'aimons plus que des morts, répétera-t-il dans le *Temps retrouvé*[2]. Ou alors, s'il a envie de revoir Gilberte, c'est pour l'utiliser comme entremetteuse, parce qu'elle peut lui faire rencontrer chez elle des jeunes filles. Cette individualité, en effet, en tant que personne non aimée par nous, ne contient, sauf exception, aucune qualité qui pourrait nous inspirer le désir de la fréquenter de préférence à des milliers d'autres personnes. Aussi le seul moyen d'expulser de soi une passion, fût-elle naissante, ne consiste-t-il surtout pas à en vérifier, en l'éprouvant à nouveau, le caractère intolérable, mais à éviter tout contact réel avec l'objet, à le rendre matériellement absent, quand même il est encore affectivement présent, parce que moins souvent il utilisera sa propriété de corps conducteur du sentiment amoureux, plus rapidement il la perdra. C'est le seul cas où le temps exerce, chez Proust, une influence presque au jour le jour : il faut thésauriser le temps de séparation. C'est par force de fait et non de raison, ni même de sentiment, que nous cessons d'aimer.

Ainsi l'objet aimé n'est pas un objet aimé mais un

1. III, 644.
2. III, 695.

moyen d'aimer. La conception proustienne de l'amour, où l'on a voulu voir un banal scepticisme réduisant la passion à un phénomène psychologique fortuit, s'apparente au contraire à la vision platonicienne : d'un côté existent les êtres charnels, multiples et changeants, au-delà un éternel objet d'amour, incorruptible et permanent. Mais ce n'est qu'à travers les premiers que nous pouvons prendre conscience du second. « Chaque sentiment particulier est une partie de l'universel amour[1]. » Comme dans l'art, l'objet individuel éveille notre nostalgie d'une réalité durable et précieuse. Comme les trois arbres d'Hudimesnil, il sert de signal d'appel, il est un éclair venu d'un royaume enfoui encore plus profond en nous que celui de la mémoire, un royaume que la mémoire même ne peut pas nous restituer. Telle est la grande différence entre la leçon tirée de l'impression ressentie devant les trois arbres d'Hudimesnil[2] et l'analyse des sensations évoquées par la madeleine ou les pavés inégaux du quai Conti.

Mais Platon, lui, croit à l'existence effective de ce monde transcendant les êtres sensibles. La beauté charnelle et la beauté des œuvres d'art peuvent retomber dans le devenir et dans l'oubli, ils ont rempli leur fonction d'échelons intermédiaires, leur chute est le début de la délivrance de l'esprit. Chez Proust, qui ne croit à aucune transcendance, leur anéantissement est irrémédiable. D'où cette hantise qui fait que l'ombre de l'amour court entre les êtres comme le furet de la chanson, comme ces lettres de crédit qui passent de

1. II, 120.
2. I, 717-719.

main en main et servent à payer vingt achats sans que
personne ne les encaisse jamais ni ne puisse, faute de
provision, les encaisser[1]. Les êtres particuliers, qui
monnayent l'amour universel, ont la même propriété
que chez Platon de suggérer le goût d'un absolu que ne
détient pas leur nature imparfaite et fuyante ; en réalité ils n'ont qu'eux-mêmes à offrir tout en inspirant le
désir de beaucoup plus qu'eux-mêmes et en se révélant
incapables de satisfaire le besoin qu'ils font naître.
Voilà pourquoi l'amour s'identifie à la souffrance.
Aucun être n'est aimable par lui-même. Tous le sont
parce que tous peuvent inspirer le désir d'un Souverain
Bien qui les dépasse. Mais ce Souverain Bien chez
Proust n'existe pas. Chez lui, une intelligence méticu-
leusement empiriste au service d'une sensibilité mystique refuse à cette sensibilité, par souci de la vérité,
les satisfactions illusoires qu'elle réclame impérieuse-
ment. Il eût été facile de faire autrement. Il eût été
facile d'écrire : « Tu ne me chercherais point si tu ne
m'avais déjà trouvé. » Il eût été facile de s'empresser
une fois de plus, et après tant d'autres, soit, en philosophe, d'extraire le positif du négatif, la connaissance de
l'ignorance, l'espoir du désespoir ; soit, en artiste, de
tirer de ce désespoir même les beaux mirages qui peuvent produire l'illusion durable qu'il signifie le
contraire de ce qu'il est. Proust ne l'a pas fait. Il constate la contradiction de la vie humaine. Là où il est
sceptique, ce n'est point par insensibilité et il ne nie pas
l'existence du besoin impossible à satisfaire ; mais là
où il éprouve le besoin d'une joie absolue, il n'en
conclut pas que l'objet de cette joie est obligé d'exis-

---

1. III, 984 est un bon exemple de cette course du furet.

ter, sous une forme ou sous une autre, pour nous complaire. Il se trouve que l'homme est torturé par le désir d'objets qui n'existent pas. C'est ainsi, et c'est tout.

La vie est donc tragique, et le tragique habite bien, en effet, cette *Recherche*, où l'on a trop tendance à voir se diluer une complaisance, géniale certes, mais excessive, à des sentiments quelque peu artificiels, en tout cas trop subtils, le produit de luxe d'un raffinement solitaire. Proust l'a dit : « La loi cruelle de l'art est que les êtres meurent et que nous-mêmes mourions pour que pousse l'herbe (...) sur laquelle les générations viendront faire gaiement, sans souci de ceux qui dorment en dessous, leur déjeuner sur l'herbe[1]. » Cette gaieté vient de ce que Proust ne stylise pas le tragique, ne l'isole pas, ne lui confère pas le poids d'un thème explicite, puisque précisément ce serait là, une fois encore, « faire » de la métaphysique, de même qu'on peut styliser l'angoisse, la mort, le néant, et presque les rendre séduisants, productifs, leur donner l'apparence, en les mettant en forme, d'être à eux-mêmes la solution qu'ils réclament et ne peuvent évidemment fournir. On reproche à Proust, du reste, tantôt d'être trop subtil, tantôt d'être simpliste. Et il est fort vrai qu'il est l'un et l'autre. Il est subtil dans la description et la narration de « ce qui se passe » — et ses prétendues « analyses » sont souvent, non pas des interprétations, ni des explications, mais plutôt le prolongement des descriptions et des narrations, tant que le réel continue à s'offrir ; d'autre part, il est simpliste quand il fait la somme de l'expérience, en tire une conclusion

1. III, 1038.

générale sur la vie, car alors c'est la vie même qui se montre simpliste, et nous interdit, à moins que nous ne décidions de nous jeter dans le bel esprit, d'aller au-delà de la constatation d'une ou deux vérités évidentes mais incompréhensibles. Or qu'un fait puisse être à la fois incompréhensible et vrai nous répugne, parce que cela met précisément un terme brutal à l'exercice de notre subtilité. Nous avons besoin de choses vraies, mais expliquées ; ou alors de choses incompréhensibles, mais riches de gloses infinies. Mais à une chose incompréhensible ne pouvoir accrocher qu'un commentaire banal (du moins par le contenu) cela nous humilie profondément, et nous refusons d'en entendrer parler. D'où par exemple, le peu de prestige auprès des beaux esprits des idées de Montaigne sur la mort, qui d'ailleurs sont les idées mêmes auxquelles Proust est arrivé lui aussi.

Selon certains commentateurs, le sentiment amoureux tel que le présente Proust est le fruit d'une classe sociale et d'une époque. La remarque serait sans doute exacte pour les formes de la galanterie et pour l'expression des émotions qui s'y rattachent. Mais le fait même de la passion, tel que le décrit Proust, semble apparaître dans toutes les littératures, dans toutes les classes sociales, dans les mœurs de tous les peuples, ou, plus exactement, indépendamment de ces mœurs. La jalousie proustienne, produit du raffinement de la grande bourgeoisie fin de siècle ? Cette dernière tendrait plutôt à l'émousser et à l'éviter, cette jalousie, si fréquente au contraire parmi les populations incultes, pauvres et analphabètes. La conception de « l'amour-maladie » n'est pas propre exclusivement aux riches esthètes de la Belle Époque. Ce n'est pas seulement chez Proust que la jalousie est comparée à une maladie organique, la leucémie, la tuberculose[1]. « Car à la nourrir l'abcès se ravive et devient un mal invétéré », dit Lucrèce. « La peine devient plus lourde si tu n'effaces par de nouvelles plaies les premières blessures[2]. » Ces mêmes images précises, qui reviennent chez les écrivains partant des esthétiques les plus diverses, tournent autour de l'idée proustienne du « remède qui suspend et aggrave le mal », l'idée de l'accumulation du temps de séparation qu'une seconde de rapprochement suffit à pulvériser.

Ma blessure trop vive aussitôt a saigné,

dit Phèdre. Et quand Proust compare la passion à une intoxication, n'avons-nous pas affaire à la vieille image du philtre, commune à Théocrite, à Tibulle, au cycle breton, image traduite dans le langage de la physiologie moderne par la *Recherche du temps perdu*, qui est une sorte de *Tristan et Iseult* revu par Claude Bernard ? Les effets organiques de la passion, l'oppression angoissante de la jalousie sont des phénomènes si précis que les métaphores physiologiques se présentent naturellement sous la plume des poètes pour décrire la présence de cette *chose* à la fois étrangère et collée à nous-même. L'image de la guérison à la fois désirée et redoutée, nécessaire et impossible, n'est nullement le fruit de la familiarité de Proust avec les milieux médicaux. Qui n'a pas pensé à la première

1. III, 644.
2. *De Rerum Natura,* IV, 1068-1070.

partie des *Jeunes Filles en fleurs* en lisant les vers de
Catulle :

> *Difficile est longum subito deponere amorem,*
> *Difficile est...*
> *Eripite hanc pestem perniciemque mihi,*
> *Quae mihi subrepens imos, ut torpor, in artus,*
> *Expulit ex omni pectore laetitias.*

Le noyau essentiel autour duquel les amours vécues
font et défont leur halo, ce mystérieux être humain —
aimé en dépit de lui-même et de nous-même — inter-
changeable et pourtant invariable, étudié comme si
tout dépendait de ce qu'il est en lui-même, et pourtant
accidentel, toujours menacé d'un doute, ce doute qui
nous souffle que n'importe quel être l'eût remplacé si
le hasard avait disposé de nous et de lui autrement, ce
noyau essentiel a-t-il une existence propre, ou reçoit-il
cette existence d'une illusion dont le siège est en nous-
même ? Le narrateur de la *Recherche* oscille perpétuellement entre ces deux idées fixes. Il penche géné-
ralement pour l'explication par l'illusion, pour l'amour
trouvant sa source dans l'état de celui qui aime, mais,
le plus souvent, il se contredit aussitôt et rectifie, sans
aller jusqu'à croire que l'être aimé puisse détenir un
pouvoir capable à lui seul d'effets qui le débordent si
largement. Parfois, Proust biffe complètement l'objet : nous n'avons pas besoin de lui pour aimer, nous
l'aimons même beaucoup mieux en son absence, après
sa mort, quand le souci d'être ou non payé de retour est
aboli. Dante au milieu de la *Vita Nova* s'aperçoit que

c'est en quelque sorte un soulagement pour lui de cesser d'espérer sans cesser d'aimer, et inaugure le « nouveau style » pour décrire les effets de son amour sur lui-même en toute indépendance par rapport à l'objet, sans solliciter sa réponse et sans même que cet objet doive rester en vie, libre enfin de l'aimer *infiniment*. Ainsi Marcel Proust, au jeune homme qui lui demandait, étonné, si en somme, selon lui, il fallait regretter que la jeune fille qu'il aimait existât, il répondit (je cite l'interlocuteur de Proust) : « que cela allait de soi, que si, au lieu de recevoir sa réponse [de la jeune fille], j'avais appris sa mort, j'eusse éprouvé sans doute un chagrin cruel, mais *évité l'inéluctable dégradation de mon propre sentiment*[1] ». *La Fugitive* démontre, en effet, que l'anéantissement matériel de l'objet n'anéantit dans l'immédiat ni la dépendance du narrateur ni sa jalousie. La dissolution du lien ne se produit pas plus rapidement qu'elle ne se serait produite sous l'action de l'absence. Rien ne permet de précipiter l'évacuation de la souffrance hors de la personne du narrateur, et il souffre de la même manière que s'il avait été plaqué et qu'Albertine ne fût pas morte, seulement il souffre d'une manière plus immobile.

Parfois, Proust fait dépendre l'amour de certaines propriétés de l'être aimé, tout en s'empressant d'ajouter que ces propriétés ne suffiraient pas, à elles seules, à expliquer la passion. A vrai dire, si Proust s'était borné à placer les causes de l'amour toutes dans celui qui aime, sa thèse serait très faible. De même s'il les

---

1. Emmanuel Berl : *Sylvia*, 14ᵉ édit., pp. 153-154 ; c'est moi qui souligne.

avait placées toutes dans l'être qui est aimé. De même encore, s'il avait déclaré que l'amour résulte d'un mélange stable de ces deux sortes de causes. Mais ce qui constitue précisément le sujet même de sa narration de l'amour, c'est le passage perpétuel d'une hypothèse à l'autre, c'est le doute et l'oscillation, chez celui qui raconte, sur la nature et l'origine de ce qu'il éprouve. Comme la *Recherche* n'est pas un traité des passions mais l'histoire de quelques passions, les contradictions et les thèses unilatérales qui s'y rencontrent appartiennent elles-mêmes aux moments divers de cette histoire, à cet éternel discours sur l'amour que se tiennent ceux qui aiment. Les variations d'opinion à cet égard suivent les états du narrateur, elles font partie elles-mêmes du roman. Le scepticisme total de la phrase, à la fin du *Temps retrouvé*, sur l'amour « reflet de nos désirs » ne dépendant d'*aucune* caractéristique dans l'objet (ce qui est évidemment faux) est celui d'un moribond chez qui « la tristesse est encore dominée par la fatigue ». Il n'en va pas de même pour les *Jeunes Filles, Sodome et Gomorrhe, la Prisonnière,* et même *la Fugitive.* En fait, Proust a tracé un portrait fort précis des êtres susceptibles d'attirer la passion et de leurs caractéristiques communes (et peut-être le scepticisme concernant le bien-fondé des sentiments vite irréversibles qu'ils font naître n'est-il pas le moins agissant des facteurs de l'amour, peut-être toutes les théories de l'amour-estime ne sont-elles que des justifications défensives destinées à conjurer ce doute). Ce portrait précis qui se dégage du récit de Proust est sans doute brouillé par l'imprécision et les hésitations des idées sur le même sujet de ce personnage particulier de la *Recherche* qu'est le narrateur, mais il existe.

En effet, les désirs sexuels qui nous portent vers les êtres suivent trois lignes distinctes, se répartissent en trois catégories qui peuvent se superposer et coïncider chez le même individu, quoique, même dans ce cas, elles restent différentes. La première serait la catégorie « femme de chambre de la baronne Putbus », c'est-à-dire le désir sexuel brusque et à l'état pur : les passades d'Albertine avec des femmes dans les cabines de bain ; le geste du narrateur, à Doncières, enlaçant soudain la fille qui le sert à table, soufflant la bougie et lui glissant de l'argent pour qu'elle le laisse faire ; « posséder Mme de Stermaria dans l'île du Bois » ; Mlle de l'Orgeville, qui va se prostituer dans les maisons de passe... La plupart de ces femmes sont du reste des phantasmes, car le narrateur ne réussit autant dire jamais à mettre la main sur elles. Il évoque année après année « la première femme de chambre de Mme Putbus », sans être effleuré, même tout à la fin, par la crainte que cette excellente personne n'ait pris de la bouteille, depuis le temps qu'il en parle. L'attrait de ce beau corps « très Giorgione » défie le temps, et la femme de chambre de Mme Putbus, dont il est périodiquement question, joue dans l'ordre érotique le même rôle que l'article du *Figaro* dans l'ordre littéraire, avec ce désavantage sur ce dernier qu'elle ne paraît jamais.

La seconde catégorie est celle de « ce qui plaît ». En fait partie, par exemple, la jeune Vénitienne « à la carnation de fleur qui fournissait aux yeux ravis toute une gamme de tons orangés » que le narrateur, faisant le compte de ce qui lui reste de fortune, songe même à ramener à Paris, ajoutant, avec cette muflerie à prétexte pictural si fréquente chez les riches bourgeois :

« C'était un vrai Titien à acquérir avant de s'en aller[1]. »

Pour la passion proprement dite, enfin, si Proust affirme si souvent qu'elle est forfuite, qu'elle flotte autour des êtres avant de se poser sur eux, c'est pour mieux l'opposer aux désirs et aux sentiments que nous inspirent les êtres « qui nous plaisent ». La femme que nous aimons n'est pas simplement celle des femmes que nous connaissons qui nous plaît plus que toutes les autres — même si on donne à « plaire » son sens le plus fort, celui du charme adorable de la jeune Vénitienne. N'importe lequel de nos amis peut comprendre pourquoi une femme nous plaît, mais Saint-Loup demeure stupéfait et consterné quand le narrateur lui montre la photo d'Albertine, dans *la Fugitive*. « Il est commun que des êtres laids excitent des amours inexplicables[2]. » Ce n'est pas qu'Albertine fût laide, elle n'avait rien d'extraordinaire, elle n'était pas ce qu'imaginait Saint-Loup : la femme la plus belle choisie à tête reposée. La passion est autre chose qu'une attirance multipliée, même par l'infini, et la preuve en est qu'on ne peut souhaiter aimer de nouveau que si l'on est encore ou déjà sous la mainmise d'une passion ou de ses prolongements, jamais dans ces moments où le souvenir d'avoir aimé passionnément est encore plus loin de nous que ne le sont les sentiments des autres hommes. Seule la passion actuelle permet de savoir ce qu'est la passion et Proust, dans *la Fugitive*, considère avec raison le souhait même vague et dépersonnalisé « d'avoir un grand amour » comme le signe qu'il n'est

1. III, 640.
2. II, 437.

pas encore détaché du souvenir d'Albertine[1]. Dissipée, la passion nous devient étrangère, comme, présente, elle nous a rendus étrangers aux plaisirs et aux amours agréables. Sans dépendre des qualités — au sens de « bonnes qualités » — de l'être aimé, c'est elle qui nous le révèle au contraire : l'amour ajoute à la vie habituelle en ce sens qu'il nous fait apercevoir les qualités réelles que tout être possède, mais qui, à froid, ne nous apparaîtraient pas. Tout en étant égoïste, il nous fait donc réellement sortir de nous. Mais ce ne sont pas ces qualités, ni la grâce ni la séduction physique, qui raniment la disposition à aimer, c'est autre chose.

Avant de quitter Venise, où la jeune Vénitienne qui lui plaît le satisfait pleinement, le narrateur sent passer une dernière fois sur son épaule l'aile menaçante de l'amour-passion en ébauchant une vague amitié de hall d'hôtel avec une jeune femme autrichienne « dont les traits ne ressemblaient pas à ceux d'Albertine mais qui me plaisait par la même fraîcheur de teint, le même regard rieur et léger. Bientôt je sentis que je commençais à lui dire les mêmes choses que je disais au début à Albertine, que je lui dissimulais la même douleur quand elle me disait qu'elle ne me reverrait pas le lendemain[2] ». Il semble qu'ici la « fraîcheur de teint » ait un poids atomique supérieur à « la carnation de fleur » de la jeune Vénitienne, et que ce « me plaisait » se convertisse en douleur avec une inquiétante rapidité. Pourquoi ? Voici le trait essentiel : elle avait « cet air de franchise aimable qui séduisait tout le

1. III, 531.
2. III, 649.

monde et qui tenait plus à ce qu'elle ne cherchait nullement à connaître les actions des autres, qui ne l'intéressaient nullement, qu'à avouer les siennes[1], qu'elle dissimulait au contraire sous les plus puérils mensonges ».

Les êtres qui attirent la passion (dans le sens où certains objets attirent la foudre) ce sont donc ceux que nous sentons indépendants de nous, qui se dérobent à tous, ce sont ces « êtres de fuite » dont Albertine est un exemple, ce sont les êtres narcissiques dont parle Freud dans son essai *Sur le narcissisme*, paru en 1914. Comme dans le cas de Veblen, aucune communication, mais simple coïncidence des réalités décrites presque identiquement par Freud et par Proust, à peu près au même moment. Ce n'est pas la seule convergence entre eux. Au sein d'une affinité générale de pensée, certains parallélismes précis entre les deux auteurs sont remarquables. Ainsi Freud écrit *Deuil et Mélancolie* en 1917. *La Fugitive*, qui en est pour ainsi dire l'illustration pratique, l'application à un cas concret, jusque dans les moindres détails, est élaborée à peu près au même moment. Les coïncidences de dates ne sont pas toutes significatives et, même si Proust a écrit *la Fugitive* deux ans plus tard, même si Freud avait écrit *Deuil et Mélancolie* trois ans plus tôt, la similarité, obtenue à partir de points de départ entièrement différents, en dehors de toute communication directe, n'en est pas moins impressionnante. Dans l'essai sur le narcissisme, Freud écrit : « Il semble évident

1. Négligence de Proust. Il faut évidemment lire, comme le précisent en note les éditeurs, « *qu'à ce qu'elle avouait les siennes* ».

que le narcissisme d'un être humain présente un grand attrait pour tous ceux qui ont renoncé à une partie de leur propre narcissisme... Le charme d'un enfant réside en grande partie dans son autonomie, son inaccessibilité, exactement comme le charme de certains animaux qui semblent ne pas se soucier de nous, tels les chats. » Freud disait quelques lignes plus haut : « L'importance de ce type de femmes [qui n'aiment dans celui qu'elles aiment que l'amour qu'il porte à leur propre ego] doit être reconnue comme très grande pour l'humanité. Elles exercent la plus grande fascination sur les hommes, non seulement pour des raisons esthétiques — car en général elles sont très belles — mais aussi à cause d'une certaine constellation psychologique intéressante. »

On peut se risquer à ajouter que cette constellation psychologique se rencontre évidemment aussi bien chez les hommes que chez les femmes, chez les homosexuels que chez les hétérosexuels, et que par conséquent toutes les objections tirées de la nature en réalité homosexuelle de l'expérience de l'auteur et du modèle d'Albertine me sembleraient pertinentes au sujet de ce que le narrateur dit de ses aventures rapides et des êtres qui simplement « lui plaisent », même beaucoup, car, dans ces deux catégories, les choses se passent, pour mille raisons sociales ou psychologiques, autrement chez les homosexuels et entre les hommes et les femmes : mais ces objections perdent leur valeur lorsqu'il s'agit de la passion, qui est une.

La passion, Freud et Proust concordent à peu près pour dire qu'elle est cette déperdition sans limite de notre moi en direction d'un être narcissique, d'un « être de fuite », qui n'aime en nous que cette déperdi-

tion même, et donc s'attache à la rendre de jour en jour
plus abondante. Aussi la passion n'est-elle pas intrinsèquement fortuite, car l'être pour lequel nous nous
passionnons possède, pour nous émouvoir et nous-
même possédons pour être ému par lui, certaines dispositions précises. Mais elle est fortuite en pratique,
du point de vue de la conduite quotidienne de la vie,
car les êtres sont nombreux qui réunissent les caractéristiques propres à les faire aimer de nous. Dans ce
nombre, à l'échelle de la durée d'une existence indivi-
duelle, c'est bien le « hasard » qui décide. (« Cela ne
dura pas, elle devait repartir pour l'Autriche »...)
D'où « l'étonnement » devant les « coïncidences »,
chaque fois qu'on recompose dans sa mémoire le souvenir d'un amour. Et aussi la « lassitude » engendrée
par cette recomposition qui ne parvient qu'à tout rendre encore plus incompréhensible. D'où, enfin, le
pressentiment de notre mort qui nous envahit quand
nous prévoyons l'inévitable mort d'une passion qui
nous occupe tout entier à un moment de notre vie,
puisque les passions, comme nous, n'ont qu'une existence de fait, et qu'une fois leur occupation (au sens
militaire du terme) achevée, on ne pourra bientôt plus
même les concevoir, se remettre à la place de celui qui
les éprouvait en nous. Le souvenir des impressions
visuelles — « Mme Swann sous son ombrelle comme
sous le reflet d'un berceau de glycines » — est plus
durable que celui des souffrances du cœur qui, sur le
moment, étaient les plus fortes et refoulaient ces
impressions visuelles à l'arrière-plan[1]. Il est piquant
de se souvenir que le futur auteur de *la Prisonnière*

1. I, 641.

écrivait en 1893, dans un compte rendu donné à la *Revue blanche* : « Le retour des romanciers ou de leurs héros sur leurs amours défuntes, si touchant pour le lecteur, est malheureusement bien artificiel. »

Sans aucun doute, Proust a poussé jusqu'à l'atroce la peinture de la contradiction amoureuse, pour mieux montrer que, même quand l'objet aimé est *aussi* digne de l'être, ce n'est point pour cette raison qu'il l'est, ni d'ailleurs pour la raison contraire. Nous sentons un être comme « en fuite » devant nous lorsqu'il nous paraît être le dépositaire, ou le fragment aperçu de nous par hasard, d'une félicité qui le dépasse. La grande tentation est toujours alors d'imaginer une réalité au bout de ce dépassement. Proust n'y a pas cédé : la passion consiste à sentir dans le fini un infini qui n'existe pas.

CHAPITRE V

MONTAIGNE
A PROPOS DE PROUST

Il est vraisemblable que les observations que je vais faire ont déjà été formulées, et plus d'une fois peut-être : qu'elles soient nouvelles ou non, je m'en soucie moins que de savoir si elles sont vraies.

JORGE LUIS BORGES.

J'ai à plusieurs reprises, au cours des pages précédentes, mentionné à propos de Proust le nom de Montaigne. Je voudrais dans ce chapitre montrer pourquoi.

« Il se ferait honnir s'il reparaissait parmi nous », a dit Gide de Montaigne, qui est, en effet, comme Proust, comme Boileau, un auteur dont la tradition a formé un portrait différent de celui que devrait imposer une lecture sans prévention. Gide a raison : Montaigne n'est pas l'humaniste débonnaire et douillet que l'on nous peint toujours. Et son portrait traditionnel est épuré de traits si frappants du portrait original qu'on est tenté de croire, chez ceux qui le censurent, à un besoin de se défendre contre lui, contre certaines constatations pénibles à admettre autant que difficiles à oublier. Au XVIIᵉ siècle, cette attitude défensive est évidente. Pascal, Arnaud, Nicole, Malebranche, tout en attaquant sans cesse Montaigne, l'admirent et le redoutent. Ils le proclament « dépassé », pour employer une expression d'aujourd'hui, et pourtant ne peuvent s'empêcher de parler de lui. Il est de ces auteurs (en général les plus complexes, les plus allusifs, les plus riches, les plus impossibles à comprendre vite) dont on dirait qu'ils n'existent que pour être dépassés : par décret, les philosophes sont tenus de dépasser tous Montaigne entre dix-huit ans et demi et dix-huit ans neuf mois.

Le premier mot qui vient à l'esprit à son sujet, quand on a lu ses commentateurs, est nonchalance. Ajoutons-y quelques synonymes ou analogues de la même famille morale : mollesse, indifférence, insensibilité, paresse intellectuelle, scepticisme, épicurisme facile, impressionnisme philosophique superficiel, etc. Pascal lui reproche à plusieurs reprises d'être « lascif », anticipant ainsi sur ceux qui au XXe siècle traiteront Freud de pornographe. A tel point qu'on est un peu étonné de voir l'acharnement que tant d'écrivains et de penseurs illustres ont mis à flétrir cette licence, à accabler cette mollesse, à se barricader contre cette insensibilité, à réfuter cette paresse, à argumenter contre ces points de vue superficiels. Le certificat d'insigniiance volontiers décerné à Montaigne, notamment par les philosophes et par les écrivains religieux, contraste avec leur incapacité à s'abstenir de le recondamner. En fait, tout en affichant leur dédain pour une image de sa pensée préalablement appauvrie, ils demeurent intimidés par le spectacle de cette œuvre, dont le mérite est plus qualitatif que théorique, et aussi tient à la masse, à la variété des observations autant qu'à la valeur de chacune d'entre elles prise isolément. Chez certains censeurs on ne peut s'empêcher de soupçonner une jalousie un peu mortifiée à l'égard d'un homme chez qui ils sentent une ouverture de sensibilité, une ampleur de parcours de la vie et une rapidité de compréhension, dont l'image est peut-être un peu trop large pour tenir sur leurs écrans. On pardonne plus facilement à un auteur de ne pas répondre aux questions qu'on se pose que d'en soulever d'importantes qui ne nous concernent pas, et qui pourtant devraient intéresser tout homme : il apporte la preuve de notre pauvreté. Montaigne apporte toujours plus qu'il n'annonce ; il est de ces auteurs, tels un Freud, un Proust, dont on peut toujours espérer une remarque inattendue, qui emplissent leurs filets d'autant plus abondamment qu'ils ne se demandent pas au préalable selon quels principes ils vont trier le matériel qu'ils amènent à la surface, ou comment le concilier avec une explication préexistante, ou une position morale. Ces auteurs se heurtent donc régulièrement à l'hostilité des esprits plus accrochés aux théories, aux « structures », qu'à la matière même du réel. Mais il faut convenir aussi que les injections de substance neuve sont plus rares, dans l'histoire de la pensée, que les remaniements doctrinaux. Le désir de voir est moins répandu que celui de prévoir, le besoin de découvrir plus rare que celui d'expliquer. On affirme d'ailleurs de façon toute gratuite que Montaigne a l'esprit vague, lui qui nous dit : « Tout un jour je contesterai paisiblement, si la conduite du débat se suit avec ordre. Ce n'est pas tant la force et la subtilité que je demande, comme l'ordre. » (livre III, chap. 9.) Au surplus, la prétendue insuffisance philosophique et scientifique de Montaigne correspond, vu l'état de la connaissance à son époque, à la seule attitude rigoureuse qu'il fût possible alors d'adopter. Montaigne ne vivait pas au XIXe siècle, ni même au XVIIe, il n'avait pas devant lui une science véritable, mais seulement des philosophies fausses. Et toutes les doctrines auxquelles s'oppose son « scepticisme » sont précisément celles qui s'opposaient elles-mêmes de toute leur inertie aux découvertes scientifique et à l'élaboration d'une philosophie qui tînt compte de ces dernières. Prendre parti pour l'une ou l'autre des philosophies régnantes, par simple besoin d'adhérer, eût été prendre parti pour une erreur, renforcer un des obstacles opposés à un progrès intellectuel indispensable et imminent. Le dernier chapitre des *Essais* s'intitule *De l'expérience*. Comment Montaigne, au moment où il l'écrivait, pouvait-il approcher plus près de la vérité à venir, faire preuve, au total, de moins de scepticisme, qu'en recommandant, avant Bacon, avant Galilée, et pour leur profit, la soumission à l'expérience, à l'évidence, à la lecture des faits, protestant par exemple contre l'interdiction par l'Église de la dissection, qui empêchait le développement de l'anatomie ? Dans le domaine de la théorie de la connaissance, on ne pouvait guère aller plus avant, au moyen des éléments dont l'époque disposait, à moins de travailler d'imagination ; mais aussi on pouvait faire ce qu'il a fait, et seul il l'a fait.

Les philosophes appellent scepticisme le fait de ne croire à aucune philosophie, ce qui, pour eux, est ne croire à rien, tandis que croire à une philosophie fausse, et que l'on sait fausse, serait une démarche constructive. Justement, on peut lire dans les *Essais* : « Personne n'est exempt de dire des fadaises, le malheur est de les dire curieusement » (III, 1). Ce ne furent jamais, du reste, les représentants du savoir authentique qui intentèrent, plus tard, un procès rétrospectif à Montaigne pour « insuffisance conceptuelle », mais, siècle après siècle, les agents des restaurations dogmatiques, moralisantes et mystiques. La théorie, il est vrai, ne l'intéresse qu'en second lieu. Son but n'est pas d'expliquer, mais de constater, de prendre conscience et de faire prendre conscience ; et, encore une fois, de faire prendre conscience, non pas d'une théorie de la conscience, mais de la réalité. Montaigne n'est pas l'antiphilosophe, il est, effrontément, l'aphilosophe.

Malebranche s'évertue à relever dans les *Essais* des contradictions : contradictions réelles certes, du moins autant qu'il est réel que nous nous contredisons en déclarant au mois d'août « il fait chaud » et en décembre « j'ai froid ». Montaigne le dit et le redit : « Je ne peins pas l'être, je peins le passage » (III, 2), phrase où le mot « peindre » est peut-être le plus important. Et encore : « Je n'enseigne point, je raconte » (id.).

Du « récit » de Montaigne, les glossateurs fidéistes — c'est vraiment la misère qui crie après l'hôpital ! — extraient donc les aveux de prudence intellectuelle, les présentent comme des aveux d'indifférence intellectuelle, méconnaissant l'exigence de certitude et de rigueur mille fois exprimée dans les *Essais*. Comme Proust, Montaigne se refuse à cette conduite infantile qui consiste, sous prétexte que nous avons besoin d'objets de certitude, à en fabriquer de postiches, ou alors à nier ce besoin.

Montaigne se peint volontiers indolent, comme difficile à émouvoir. Ce portrait existe incontestablement dans son livre mais il coexiste avec un portrait différent, voire opposé, apparaissant en des textes nombreux, où Montaigne, sans chercher à harmoniser entre eux tant de traits contradictoires, se décrit comme passionné, nerveux, angoissé, violent, versatile. « J'ai un agir trépignant où la volonté me charrie ; mais cette pointe est ennemie de la persévérance »

(III, 10). Particularité directement contraire à celle
d'un indolent, pour qui la difficulté consiste plutôt à
commencer d'agir, à « s'y mettre », mais qui ensuite
peut agir ou travailler longtemps parce que sans
grande consommation d'énergie. A cet égard, Proust
différerait de Montaigne, mais en fait, le trait commun
est qu'ils sont tous deux de faux paresseux, et l'éternel
nonchaloir affiché par Montaigne s'apparente à la
bonne plaisanterie de Proust qui, à la quinze millième
page de son manuscrit, est toujours en train de nous
expliquer gravement qu'il a renoncé à être un écrivain.
Tous deux ont en réalité autant de facilité à commencer qu'à poursuivre. Leur revendication de paresse et
d'incapacité tient donc à autre chose, sans doute à un
besoin de conjurer l'angoisse qu'ils éprouvent devant
leur œuvre, et de se la figurer à eux-mêmes comme
octroyée par le hasard, faite sans qu'ils la veuillent, par
petits bouts, après un bon renoncement officiel préalable et une confession publique d'incapacité. Il ne faut
donc pas s'étonner de trouver de façon générale chez
Montaigne, comme chez le narrateur de la *Recherche*,
les traits fortement marqués d'un caractère dépressif
véritablement à la frontière du normal et du pathologique, et qui confine parfois à la mélancolie la plus
grave ou à l'obsession : « Quand je suis en mauvais
état, je m'acharne au mal ; je m'abandonne par désespoir et me laisse aller vers la chute... Je m'obstine à
l'empirement et ne m'estime plus digne de mon soing »
(III, 9). Ce tourbillon interne se creuse et s'accélère
sous l'effet trop aisément dévastateur et dévorateur
des soucis inspirés par les petits ennuis quotidiens :
« La tourbe des menus maux offense plus que la violence d'un, pour grand qu'il soit. A mesure que ces

épines domestiques sont drues et déliées, elles nous mordent plus aigu… Je ne suis pas philosophe… Depuis que [à partir du moment où] j'ai le visage tourné vers le chagrin, pour sotte cause qui m'y ait porté, j'irrite l'humeur de ce côté-là, qui se nourrit après et s'exaspère… » (id.). Aussi, quand Montaigne dit dans le même chapitre : « Je me contente de jouir le monde sans m'en empresser », faut-il croire que cette attitude lui est naturelle et spontanée ? N'est-elle pas plutôt une mesure de précaution de la part d'un homme qui se sait prompt à se désunir et donc fait un constant effort pour se garder ou se remettre au ralenti ? Et lorsqu'il écrit : « Je désire mollement ce que je désire et désire peu », on doit être enclin à voir derrière cette affirmation un inquiet qui se tient sur ses gardes et qui, trop bien instruit d'être vulnérable, craint de s'exposer. Aussi bien, cette atonie voulue de la sensibilité se concilie mal avec le séisme que fut la mort de La Boétie, et surtout avec le fait que la mort intérieure que fut cette mort pour le survivant fut combattue non point par la sagesse, mais par une autre dépense affective : « L'amour me soulagea du mal qui m'était causé par l'amitié » (III, 4.) On sait à quelle espèce appartiennent ceux qui doivent, pour combattre la souffrance, opposer non pas le détachement au sentiment, mais un sentiment à un sentiment. Au reste, ce même homme qui désire « mollement et peu » déclare ceci de l'amour : « Je n'ai point d'autre passion qui me tienne en haleine. Ce que l'avarice, l'ambition, les querelles, les procès font à l'endroit des autres qui, comme moy, n'ont point de vacation assignée, l'amour le ferait plus commodément : il me rendrait la vigilance, la sobriété, la grâce, le soing de ma

personne, rassurerait ma contenance à ce que les grimaces de la vieillesse, ces grimaces difformes et pitoya-
bles, ne vinssent à la corrompre ; me remettrait aux
études sains et sages, par où je me pense rendre plus
estimé et plus aimé, ôtant à mon esprit le désespoir de
soy et de son usage et le raccointant à soy » (III, 5).
Ainsi l'amour est non seulement pour lui le seul aiguil-
lon de l'activité, la force qui le soutiendrait pour l'aider
à bien vieillir, mais le seul climat intérieur pleinement
favorable au travail de l'intelligence.

On pourrait repolir bien d'autres miroirs où se reflè-
tent l'émotivité éperdue de Montaigne, sa vulnérabi-
lité, son instabilité et son anxiété — visibles, par exemple, dans son besoin de voyager, et non pas seulement
pour chercher des eaux curatives ou pour s'instruire,
mais, il le dit expressément, pour échapper à la tension
vite insupportable pour lui et déraisonnablement épui-
sante, des préoccupations quotidiennes qui le « man-
gent » (id.).

Montaigne, d'autre part, précise qu'il est, par nature
et par principe, violent et cassant dans la conversation : « Je hais à mort de sentir au flatteur... » (« Je
hais à mort ! » Quel langage pour un nonchalant !)
« Je me jette naturellement à un parler sec, rond et
dru, qui tire, à qui ne me connaît d'ailleurs, un peu
vers le dédaigneux » (I, 40). Ce parler l'emporte quelquefois si loin hors de lui qu'il en vient à se décrire ainsi
(à la suite du passage cité plus haut « Tout un jour je
contesterai paisiblement si la conduite du débat se suit
avec ordre ») : « Mais quand la dispute est trouble et
déréglée, je quitte la chose et m'attache à la forme avec
despit et indiscrétion, et je me jette à une façon de
débattre testue, malicieuse et impérieuse, dequoy j'ai

à rougir après » (III, 8). Montaigne est donc quelqu'un qui vit perpétuellement sous la menace de se vider d'un seul coup de toute son énergie, que ce soit dans le remâchement solitaire de thèmes obsessionnels, ou dans la contrariété de mauvais échanges avec autrui. Son style de conversation, notre humaniste apathique ne s'en départ même pas dans ses rapports avec ses maîtresses. Sous l'épicurisme de façade perce une violence jalouse, sous le masque de Philinte un Alceste tout entier pris par ce travers fatal de vouloir corriger et amender les femmes qu'il aime : « De colère et d'impatience un peu indiscrète, sur le point de leurs ruses et desfuites et de nos contestations, je leur en ai fait voir parfois : car, je suis, de ma complexion, sujet à des émotions brusques, qui nuisent souvent à mes marchés, quoiqu'elles soient légères et courtes. Si elles ont voulu essayer la liberté de mon jugement, je ne me suis pas feint à leur donner des avis paternels et mordants, et à les pincer où il leur cuisait » (III, 5).

Cette sincérité intransigeante ne provient pas de la misanthropie, encore qu'elle puisse y conduire, mais suppose au contraire un intense besoin de rapports amicaux et d'échanges intellectuels, si intense qu'il aurait, nous assure-t-il, préféré confier à un interlocuteur, s'il en avait retrouvé un après la mort de La Boétie, ses idées, plutôt que de les écrire. « Je suis tout au dehors et à l'évidence, né à la société et à l'amitié » (III, 3). A la différence de Rousseau, Montaigne ne recherche pas l'isolement, il le subit. Ses humeurs, l'animation de son intelligence sont directement tributaires de la compagnie dans laquelle il se trouve : « Comme notre esprit se fortifie par la communication des esprits vigoureux et réglés il ne peut dire combien il

perd et s'abâtardit par le continuel commerce et fréquentation que nous avons avec les esprits bas et mala-
difs. » C'est à Montaigne que l'on doit le premier et le
plus beau de ces textes sur l'esprit de conversation qui
occupent dans nos lettres une si grande place et ont
malgré cela porté dans nos mœurs quelques rares
fruits. Pour celui que Pascal appelle « l'admirable
auteur de *l'Art de conférer* », l'amitié est, contrairement à ce qu'elle est pour Proust, un moyen de se
connaître soi-même, et s'il dit, comme Proust le dit
aussi avec moins de concision : « Il faut se prêter à
autrui et ne se donner qu'à soi-même », c'est en pen-
sant, il le précise, non pas à l'amitié mais aux commer-
ces purement sociaux et aux engagements vis-à-vis des
puissants, aux charges, aux carrières.

Montaigne et Proust connaissent les hommes parce
qu'ils sont eux-mêmes plusieurs hommes, parce qu'il
est peu de sentiments humains qu'ils ne puissent
éprouver par procuration, ébauchés en eux-mêmes. Ils
ont cette sensibilité en toile d'araignée qui permet de
capter en soi la façon exacte dont l'autre se sent en
dedans de lui-même. Sensibilité polymorphe, seule
vraie source des idées en psychologie, mais qui rend
difficile et toujours précaire, chez ceux qui la détien-
nent, la réalisation d'un équilibre personnel. Ou
plutôt, cet équilibre est constamment rompu au jour le
jour, mais cette rupture perpétuelle est justement la
matière première d'un équilibre général réparti sur
l'ensemble de l'existence. On peut dire de tous les
deux qu'avec des journées de psychopathes ils ont
édifié des vies de sages.

Aucun des deux n'est misanthrope, mais tous deux
sont pessimistes. Montaigne admet qu'il va d'instinct,

en lisant des livres d'histoire, à tout ce qui rabaisse l'homme, aux auteurs noirs, comme Tacite. Mais, sauf dans ses rapports avec ses maîtresses, Montaigne est lui aussi de la race des Philinte plus que des Alceste : enclin au pessimisme, mais aimant les hommes.

Pourquoi dès lors cet homme qui parle souvent de la franchise de son abord, de son propos, de sa mine ouverte, de l'air de vérité, de naturel qui baigne sa physionomie, et qui inspire confiance et sympathie au point de décourager de l'assaillir, par la seule vertu de la bonne grâce avec laquelle il les accueille, les bandits venus pour le tuer et piller sa maison (III, 12), a-t-il écrit aussi *De la solitude* et vécu, en effet, si seul ?

Ce n'est point par goût, par penchant, par humeur, mais par horreur de l'injustice. Montaigne hait la violence et la cruauté, il les flétrit partout et leur a consacré tout un réquisitoire (II, 11). Il a aussi écrit contre la torture le texte le plus rigoureux du point de vue moral, et le plus intelligent du point de vue psychologique, de toute notre littérature (II, 5). Or il estime vivre à une époque où, à cause des guerres de Religion et de la conquête du Nouveau Monde, il est impossible de gérer les affaires publiques, de participer à la vie sociale, ni même quasiment de faire un pas hors de chez soi sans être mêlé de près ou de loin à un crime collectif. Car, pour Montaigne, comme plus tard pour Rousseau et pour Kant, aucun intérêt ne peut, ne doit dispenser du respect intégral de la justice : « La justice en soy, naturelle et universelle, est autrement réglée, et plus noblement, que n'est cette autre justice spéciale, nationale, contrainte au besoing de nos polices »

(III, 1). Mais la force s'est déguisée en droit. La conscience morale s'est défaite au point de trouver normale
la cruauté : « Je vis en une saison en laquelle nous
foisonnons en exemples incroyables de ce vice, par la
licence de nos guerres civiles ; et ne voit-on rien aux
histoires anciennes de plus extrême que ce que nous en
essayons tous les jours. Mais cela ne m'y a nullement
apprivoisé. A peine me pouvais-je persuader, avant
que je l'eusse vu, qu'il se fût trouvé des âmes si mon-
trueuses, qui, pour le seul plaisir du meurtre, le voulus-
sent commettre... » (II, 11). Combien de temps fau-
dra-t-il attendre, après Montaigne, pour retrouver ce
courage chez un écrivain ? Les quelques allusions pru-
dentes et toujours vagues des auteurs du XVIIe siècle à
la politique et à la violence font piètre figure auprès de
la loyauté avec laquelle les *Essais* vont droit au fait, ne
reculant jamais devant les précisions, les détails, la
mention des circonstances, et appelant les choses par
leur nom. Là encore, lorsqu'on parle du conservatisme
de Montaigne, on ne tient compte que d'une partie des
textes, on oublie ses prises de position, dépourvues de
toute équivoque, à propos de tant de problèmes
concrets et des maux publics dont souffrait son
époque : les vices des institutions judiciaires, la
guerre, l'intolérance religieuse, la conquête des peuples américains. Il faudrait citer tout entières les pages
où il flétrit les « méthodes » européennes en Amé-
rique : « Notre monde vient d'en trouver un autre »,
etc. (III, 6). Pouvait-il formuler une condamnation
plus sévère de la civilisation chrétienne que de déclarer, avec trop d'optimisme peut-être, que les païens
auraient agi plus moralement, plus humainement que
nous ? « Que n'est tombée sous Alexandre ou sous ces

anciens Grecs et Romains une si noble conquête... Au rebours, nous nous sommes servis de leur [aux Indiens] ignorance et inexpérience à les plier plus facilement vers la trahison, luxure, avarice, et vers toute sorte d'inhumanité et de cruauté à l'exemple et patron de nos mœurs. Qui mit jamais à tel prix le service de la mercadence et de la trafique ? » Et au temps actuel, où l'occupation principale de la France pendant quinze ans a été sans quartier de chercher à s'imposer par les armes à des peuples plus faibles qu'elle et beaucoup plus misérables, est-il possible à un Français encore homme de lire sans une terrible tristesse cette dernière phrase du somptueux acte d'accusation composé voilà quatre siècles : « Tant de villes rasées, tant de nations exterminées, tant de millions de peuples passés au fil de l'épée, et la plus riche et belle partie du monde bouleversée pour la négociation des perles et du poivre » (id.) ?

Aussi les propos « conservateurs » de Montaigne (*De la coutume et de ne changer aisément une loi reçue*) ne le sont-ils qu'à leur manière. Il suffit de réfléchir que ses pages contre les séditions concernent les guerres de Religion et leurs carnages, que refuser de souscrire et à la cause du catholicisme et à celle du protestantisme était la position la plus avancée qu'il fût possible de prendre au XVIe siècle, qu'enfin l'attitude constante de Montaigne pendant ces guerres fut, comme celle de l'auteur du *Temps retrouvé* pendant la guerre de 1914-1918, une résistance inflexible au bourrage de crâne qui écrasait toute morale, toute raison, et le maintien d'une clairvoyance méritoire au milieu du tourbillon et des exigences des fanatismes à la fois complices et contraires. La résistance de Montaigne est même extraordinairement véhémente. On est surpris de voir par exemple son intolérance à la chose militaire se traduire (à propos de César) par des mots aussi forts que ceux qu'il choisit pour invectiver « les fausses couleurs dont il veut couvrir sa mauvaise cause et l'ordure de sa pestilente ambition » (II, 10). On serait heureux de voir paraître aujourd'hui en France un écrivain aussi lu que l'était Montaigne de son vivant et qui prît avec autant de netteté ses responsabilités au cœur même de son œuvre, et non point à côté ; dans la manifestation la plus haute de son talent, et non en tant que monsieur X., — en critiquant et en attaquant les injustices, les vices, les stupidités, les abus et les erreurs, sociaux, intellectuels, politiques, moraux, philosophiques, religieux. Curieuse, donc, cette légende de Montaigne écrivain « non engagé » et le ressassement de ses théories dites conservatrices, car enfin, il n'est pas difficile de comprendre qu'à son époque, dire : « Toutes les institutions, toutes les religions se valent », équivalait en fait à dire qu'aucune institution, aucune religion ne doit être imposée par la force à la place d'autres. Étrange appui donné aux croyances reçues, que d'affirmer froidement que, s'il faut se soumettre aux lois de son pays, ce n'est surtout point parce qu'elles seraient justes, mais parce qu'on y est habitué ! Pascal a vu le danger, lorsqu'il répond, soucieux de prouver que l'absurdité des choses humaines et leur injustice doivent, une fois constatées, susciter la Foi et non des améliorations pratiques : « Montaigne a tort... Le peuple suit [la coutume] par cette seule raison qu'il la croit juste. Sinon, il ne la suivrait plus... Il y obéit [aux lois], mais il est sujet à se révolter dès qu'on lui montre qu'elles ne valent rien. »

Pascal préconise donc implicitement un État fondé sur le mensonge, dans lequel seule une minorité a le privilège de savoir que la coutume supporte des institutions toujours mauvaises, tout en prenant le droit de dire au peuple que les lois sont justes.

Cependant, pour Montaigne, des lois, même mauvaises, sont toujours préférables à l'absence de lois. Langage qui paraîtrait de mauvais goût dans le Paris de 1960, où le pouvoir personnel s'érige au-dessus des lois qu'il a lui-même édictées selon ses propres commodités et où les intellectuels français font culminer cinq siècles de pensée politique dans la béatitude que leur procure la contemplation d'une sorte d'Empire libéral, qui d'ailleurs le devient de moins en moins. Il est plus sûr de s'adresser à un auteur du xvie siècle si l'on veut entendre affirmer sans ambiguïté ni considération d'espèce que le respect des lois, quelles qu'elles soient, est toujours préférable à une sécurité que l'on ne devrait qu'à la bienveillance des individus. Montaigne abomine la sujétion aux grands hommes : « Me déplaît être hors la protection des lois et sous autres sauvegardes que la leur » (III,9).

Mais il constate que les lois sont devenues le masque de l'injustice : « Pareilles consciences logent sous diverses sortes de robe, pareille cruauté, déloyauté, volerie ; et d'autant pire qu'elle est plus lâche, plus sûre et plus obscure sous l'ombre des lois » (id.). La prétendue légalité n'est qu'une comédie. Les vertus des hommes publics ne sont vertus que pour « la montre », et par là, en tel siècle, « la bonne estime du peuple [= de l'opinion générale] est injurieuse » (III, 2). Voilà qui est simple : il est des époques où passer officiellement pour honnête, à plus forte raison gagner la gloire, c'est se déshonorer moralement. Pour cette raison Montaigne se désolidarise de la société de son temps et s'en retranche, ayant vu ce qu'il faut faire et taire, pour — comme on dirait aujourd'hui — « réussir ». « Répondons à l'ambition que c'est elle-même qui nous donne le goût de la solitude » (I, 39).

Recul vers la subjectivité, dira-t-on, fuite dans le mirage de la « belle âme ». Or c'est tout l'inverse. Combien d'écrivains et de philosophes ont, par la suite, autant hésité que Montaigne à se compromettre ? Songeons aux flagorneries de Descartes et de Pascal quand ils écrivent aux grands.

Il faut se méfier des passages où l'on croit déceler l'idéal « médiocre » de Montaigne. Lorsqu'on lit, par exemple : « Je me contente... de vivre une vie seulement excusable » (III, 9), il faut se souvenir que, selon lui, rien n'est plus difficile que de vivre une vie « seulement excusable », car à ses yeux la plupart des hommes sont, précisément, inexcusables, du moins en tant qu'ils sont membres d'une civilisation. C'est l'idée de Proust, plus appuyée, qu'on ne pardonne pas la participation à un « crime collectif ». Responsables à l'extrême comme êtres sociaux, les hommes ne sont jamais coupables — car, là, ils sont ce qu'ils sont — dans leur existence « privée ». Ici le Montaigne pré-psychanalyste se substitue au moraliste politique, pour constater que les hommes n'ont jamais de remords là où ils devraient en éprouver, par exemple à la suite d'injustices publiques, et en sont hantés, par contre, là où ils ne devraient avoir aucune raison d'en ressentir, par exemple dans leur vie sexuelle. « Que fait l'action génitale aux hommes... Pour n'en oser parler... Nous prononçons hardiment : tuer, dérober, trahir... » (III,

5). L'hésitation de Montaigne ne s'étend pas, on le voit, aux jugements moraux, et, lorsqu'il s'agit de décrire l'hypocrisie de ses semblables, s'il pèse ses mots, ce n'est pas sans les avoir choisis : « Ils envoient leur conscience au bordel et tiennent leur contenance en règle. Jusques aux traîtres et assassins, ils épousent les lois de la cérémonie et attachent là leur devoir » (id.).

Le long essai intitulé *Sur des vers de Virgile* n'est pas nouveau seulement « pour l'époque ». On aimerait, à vrai dire, qu'il s'intitulât *Sur des vers de Lucrèce*, et que le germe autour duquel cet essai prolifère fût une citation du livre IV du *De Rerum Natura*, Lucrèce étant, d'une façon générale, tellement plus estimable et plus grand que le chantre de l'ordre moral et du retour à la terre, le laudateur compassé du Travail, de la Famille et de la Patrie. Dans ce texte de Virgile, il s'agit du reste d'un couple marié, et Montaigne n'a pas manqué de commenter ainsi l'intensité du transport que prête le poète à cette minute conjugale : « Il la peint un peu bien émue pour une Vénus maritale... »

Fort peu marital lui-même, Montaigne réussit dans cet essai à parler de l'amour physique sans la moindre concession, ni à la convention égrillarde ni à la pudibonderie. Le XVIIe siècle, lui, sera pudibond, et nous avons vu Pascal reprocher à Montaigne d'employer des mots « lascifs ». A l'opposé, le libertinage sera un affranchissement par rapport à une sexualité encore considérée comme un tabou que, par conséquent, l'on *s'amuse* à transgresser. Pour Montaigne, la sexualité n'est ni amusante ni impudique, elle est. Le premier (et pour longtemps le seul) il réussit à en parler sans circonlocutions ni provocation.

Autre originalité, Montaigne traite de l'amour en se
plaçant surtout au point de vue des femmes et non pas
seulement à celui des hommes. Il récuse la fiction sur
laquelle repose une société réglée par et pour les hommes, fiction selon laquelle le besoin sexuel serait moins
important dans la vie des femmes que dans celle des
hommes. Principe qui, on le sait, restera à la base de la
morale sexuelle (préparée et fixée en modèle dans *la
Nouvelle Héloïse*) de la bourgeoisie du xixe siècle,
pour laquelle la frigidité, même dans le mariage, est un
attribut essentiel de l'honnête femme, tandis que les
maris ont droit aux écarts. « Je dis que les masles et les
femelles sont jetés en même moule, affirme Montaigne. Sauf l'institution et l'usage, la différence n'y est
pas grande. » Il aperçoit ainsi clairement, d'une part,
le fait freudien de l'identité et de l'égalité chez les deux
sexes de la libido, qui se diversifie seulement selon
l'anatomie et l'éducation ; d'autre part le lien qui
existe dans nos sociétés entre la méconnaissance de la
libido féminine et la subordination pratique et juri-
dique des femmes aux hommes. « Platon, ajoute-t-il,
appelle indifféremment les uns et les autres (les masles
et femelles) à la société de tous estudes, charges, exer-
cices, vacations guerrières et paisibles, en sa répu-
blique » (III, 6).

Une aussi grande liberté, dépourvue de tout sous-
entendu grivois comme de tout esprit de censure, à
l'égard d'un tel problème, n'est concevable que parce
qu'elle se rattache à l'attitude d'ensemble qui est celle
de Montaigne tout au long des *Essais*, à cette sorte de
discipline de la détente, d'exercice continu de fidélité à
la pensée telle qu'elle surgit, d'adhérence à la notation
immédiate, à l'humeur effectivement éprouvée — et

non point à celle que l'on devrait, voudrait ou que l'on est censé éprouver — discipline qui produit l'œuvre littéraire la plus proche de l'esprit de l'analyse freudienne avant Proust. En effet, pour Montaigne comme pour Proust, il ne s'agit pas de construire une vision de l'homme, mais de le voir, et pour cela d'*écarter les obstacles* qui empêchent de le voir. C'est pourquoi il déplaît aux dogmatiques. Sa disponibilité consiste d'abord à faire taire l'appétit d'expliquer, de juger, de comprendre trop vite, pour laisser affleurer l'événement psycho-physiologique et lui accorder le temps de se dégager pour l'écouter en le déformant le moins possible ; ensuite, elle met en veilleuse le besoin de se justifier ou de s'accuser, l'empressement à traduire la moindre découverte ou le moindre aveu, aussitôt, devant un tribunal moral. Car ce besoin limite évidemment le volume des découvertes. Il faut de la vigilance pour *se laisser arriver*, à la manière dont Proust le fait lui aussi dans *la Fugitive*, et pour donner le pas à l'intérêt de constater sur la manie de classer. L'abondance comme la variété du « récit » de Montaigne viennent de ce qu'il a su se soustraire à la hantise de la culpabilité. Là où saint Augustin et Rousseau écrivent des *Confessions*, se font un mérite d'avouer leurs « turpitudes », et rassemblent les pièces d'un procès, où, juges et parties, ils plaident alternativement (comme le Barbemolle de Courteline, dans *Un client sérieux*) le dossier de l'accusation et celui de la défense, Montaigne, lui, proteste calmement qu'il ne voit pas au nom de quoi on pourrait légitimement se condamner, dans son existence privée du moins, et non sociale : « quant à moy, je puis désirer en général être autre ; je puis condamner et me déplaire de ma forme universelle, et supplier Dieu pour mon entière réformation et pour l'excuse de ma faiblesse naturelle. Mais cela, je ne le puis nommer repentir, ce me semble, non plus que le déplaisir de n'être ni ange ni Caton. Mes actions sont réglées et conformes à ce que je suis et à ma condition. Je ne puis faire mieux… Si d'imaginer et désirer un agir plus noble que le nôtre produisait la repentance du nôtre, nous aurions à nous repentir de nos opérations les plus innocentes » (III, 2).

On comprend que cette réfutation de la culpabilité pathologique (songeons à Freud, au Surmoi torturant le Moi à propos — en effet — de « ses opérations les plus innocentes ») ait paru indésirable à Pascal, puisqu'elle coupe à sa racine le principe de « l'imperfection » de la nature humaine et enlève son arme essentielle au terrorisme moral. Il ne s'agit pas en effet dans les *Essais* de prêcher *l'indulgence* à l'égard de soi, comme l'ont trop aisément décrété les moralistes chrétiens du XVII e siècle ; Montaigne n'a nulle indulgence pour les fautes et les crimes *que nous pouvons empêcher*, les crimes dont sont victimes l'homme et l'humanité au nom de l'intérêt, de la raison d'État, ou de l'intolérance. L'homme commet des crimes contre l'homme, il n'est jamais en état de péché en lui-même. Ce sont les actes qui sont bons ou mauvais, bénéfiques ou nuisibles ; et le mal, ce sont les actes criminels, jamais les naturels.

Ainsi Montaigne réussit à écrire un livre sur lui-même tout en se libérant de deux besoins contradictoires, aussi répandus et forts l'un que l'autre : justifier à tout prix sa vie — s'en déclarer mécontent. D'ordinaire, quand nous parlons de nous-mêmes, nous tâchons de prouver à la fois que personne n'aurait pu faire mieux que nous à notre place et que nous sommes intrinsèquement supérieurs au résultat obtenu. Montaigne ne s'accorde ni l'une ni l'autre consolation.

Écrit-il d'ailleurs tellement sur lui-même ? A la phrase de Pascal sur « le sot projet » de se peindre, on oppose classiquement celle des *Essais* sur « la forme entière de l'humaine condition ». Plus simplement, on pourrait constater que Montaigne parle au moins aussi souvent, sinon plus souvent, des choses hors de lui que de lui. Alors que tant d'écrivains, Chateaubriand par exemple, sous couvert de parler de la nature, d'une situation politique, d'une conversation avec un grand homme, d'un pays étranger, ne parlent en réalité que d'eux-mêmes, et ne peuvent éviter de revenir à un moi du reste fort peu varié, Montaigne, qui déclare à chaque instant vouloir parler de lui, se retrouve quelques lignes plus bas en train de parler de l'Italie, de Tacite, de politique, de cuisine, de médecine ou d'économie domestique. C'est moins lui qu'il peint que la variété de ses réactions devant le réel, et donc il peint le réel. C'est moins souvent sa conscience que les choses dont il prend conscience. Différent de tant d'autres qui prennent prétexte du monde pour parler d'eux, il prend prétexte de lui pour parler du monde. Du reste, s'il parle de lui, ce n'est pas qu'il se juge exceptionnel, il ne raconte pas une « destinée » — moins encore que Proust — et son accent demeure constamment modeste sans qu'il ait à se surveiller pour le rendre tel. Au reste, ni les *Essais* ni la *Recherche*, deux livres pourtant qui ont leur siège officiel dans un Moi, n'appartiennent exactement à la littérature de confession. Ils n'ont jamais le ton de la confidence que prend un Chateaubriand, conscient de révéler un sublime « en-dedans » jusqu'alors dérobé aux regards des mortels. Modestes, ces écrivains du Moi ne sont pas égocentriques, et même sont la plupart du temps égofuges.

Avant Montaigne, et souvent encore après lui, les rares observations psychologiques de contenu qu'on trouve dans la littérature comme dans la philosophie, sont toutes subordonnées à l'intention de proposer un mode de vie. C'est une psychologie de directeurs de conscience. Il s'agit toujours de *préférer* certaines choses à d'autres choses, d'enseigner à mépriser tout un côté de l'existence humaine, ce qui ne peut se faire de façon convaincante sans, bien entendu, quelques remarques exactes. Mais en divisant l'homme en forces et en faiblesses, on s'interdit de le décrire véridiquement puisque la connaissance du fait tourne court au profit du jugement de valeur. Avec Montaigne enfin, nous apprenons que ce n'est pas une faute que d'avoir sommeil, de désirer, de préférer des mets à d'autres, de rêvasser, d'oublier, d'avoir peur, de craindre la mort, d'avoir des habitudes, d'être paresseux, de haïr la maladie, de perdre son temps, d'être morose ou triste, de souffrir et d'être joyeux. Et que non seulement ce n'est pas une faute, mais que les prétendues faiblesses se trouvent si liées aux « forces » qu'elles en sont peut-être la condition, qu'il n'y a bien plutôt ni forces ni faiblesses, et qu'il est vain, comme le démontrera par l'expérience Freud, de répudier une partie de nous-mêmes comme nous étant étrangère. Encore aujourd'hui, les philosophies, avec leur hantise de ce qui est « authentique » et de ce qui ne l'est pas dans l'homme, se hâtent d'installer prématurément au cœur de l'être humain cet éternel procès. Mais il n'y a pas dans l'homme les choses importantes et les autres, le secteur noble et le secteur trivial, l'authentique et l'inauthentique ; l'homme se conduit de la même façon dans les grandes et dans les petites circonstances. Et prendre conscience de ce fait ne signifie pas pour Montaigne que l'on soit autorisé à renoncer à tout jugement moral sur soi. Car c'est là que réside l'erreur de la critique pascalienne : les exigences de Montaigne, notamment à l'égard de la justice et de la vérité, sont bien précises, et nullement disposées à se satisfaire de faux-semblants. Par exemple la qualité morale à laquelle Montaigne attache peut-être le plus d'importance est celle qui intéresse les autres : la loyauté. Son horreur du mensonge est absolue, véritablement kantienne avant Kant, comme l'est sa définition de la moralité, son principe qu'elle doit être cultivée pour elle-même et non pour les avantages ou la considération qu'elle nous vaudrait. Montaigne n'est donc pas plus sceptique en morale qu'en philosophie : en refusant de soumettre au jugement moral des faits qui ne relèvent pas de lui — mais de la diversité des préjugés, des fanatismes, des usages et des croyances suivant les sociétés — il ne détruit pas la morale, il la rend possible. La responsabilité commence là où commencent les actes, personnels ou politiques, capables d'atteindre autrui, quoique moi-même je ne sois pas coupable d'être et que seul je sache si je suis « lâche ou courageux ».

Si l'on voulait opposer sommairement Montaigne à son plus grand admirateur et principal adversaire, Pascal, on pourrait dire : pour Pascal, je suis coupable quand j'éprouve un désir personnel de bonheur — devant un être aimé, un verre de vin, une chambre

confortable, un beau paysage — mais je ne suis pas
tenu de m'inquiéter des impostures, des hécatombes,
des injustices qui m'entourent. Pour Montaigne, c'est
l'inverse.

La parenté de Montaigne et de Proust est due peut-
être à cette tenue à distance de la culpabilité pathologique, élimination qui permet à leur « récit » de
l'homme de couler et de s'étaler dans toute la largeur
de son lit, sans être comprimé par la hantise d'avoir à
rendre à chaque instant des comptes. Et si Montaigne
est un si grand écrivain, supérieur même à Proust, c'est
peut-être en partie parce qu'il est encore plus libre que
lui de culpabilité pathologique — celle de Proust se
projetant entièrement dans son « remords de ne pas
écrire », et subsistant, donc, en ce domaine, bien
qu'elle ait libéré tout le reste du terrain. Leur parenté
tient aussi au parti pris d'accueillir tout ce qui se produit en eux et autour d'eux en s'abstenant de donner
instantanément à chaque chose une note, un coeffi-
cient d'importance. C'est pourquoi on trouve dans les
Essais comme dans la *Recherche* de nombreuses observations qui, par leur contenu, se situent dans les para-
ges ou même à l'intérieur de la psychanalyse. La
Recherche peut être lue entièrement comme une « psy-
cho-pathologie de la vie quotidienne ». Autre exemple : Proust finit, comme Freud, par voir dans certaine
forme de passion amoureuse la *répétition* inévitable
d'un passé figé mais toujours actif, par voir donc dans
la passion l'incorporation de ce passé à une situation
présente variable mais devant laquelle nous ne pouvons pas inventer de solution nouvelle. Comme Freud,
il attribue à ce facteur le développement de la jalousie

sans issue qui en résulte, puis le désinvestissement brutal de l'affectivité qui la suit, quand la passion cesse et que cesse l'intérêt pour son objet[1]. Montaigne constate lui aussi fréquemment des phénomènes dont même les contemporains de Freud auront du mal à admettre la réalité, par exemple dans le texte du livre II, chap. 1 où il décrit les composantes sado-masochistes constitutives de tout psychisme humain.

La raison de ces découvertes particulières est dans l'attitude générale commune à Proust et à Montaigne. C'est en effet un trait de toutes les œuvres qui, au point de vue intellectuel comme au point de vue moral, sont libératrices, que de montrer l'influence sur l'homme de mobiles d'action autres que les raisons qu'il se donne à lui-même d'agir, et différents des principes qu'il croit, de plus ou moins bonne foi, être les siens. Ce type de compréhension peut être décelé chez Montaigne, La Rochefoucauld ou Proust. L'activité consciente est présentée chez eux comme simple projection ou justification d'une affectivité dont la genèse est inconsciente, et, selon eux, aucun aspect chez l'homme ne doit être considéré comme plus moral, plus noble qu'un autre aspect ou une autre « partie » de la personnalité. Il n'y a que des *événements*, que l'on doit juger d'après leur rôle effectif dans l'histoire de l'individu, et non point d'après une échelle de valeurs qui ne saurait précisément être élaborée que par la fonction justifiante, excusante et magnifiante de l'homme. Le propre de cette attitude est de redonner toujours la priorité au

1. Autre prémonition psychanalytique, cette phrase au sujet des homosexuels : « Ils consomment dans leur visage la profanation de leur mère » (II, 908).

contenu sur la forme, à la chose sur le signe qui nomme
la chose, à la cause sur le prétexte. Et la réaction
périodique contre cette attitude consiste dans le mouvement inverse : elle rend la priorité à la forme, au
langage métaphysique, aux instruments de la signification sur la chose signifiée, à l'évaluation moralisante
sur la connaissance de l'origine réelle, bref elle présente le moyen comme se suffisant à lui-même, et le
résultat comme produit librement par l'image illusoire
qui ne fait que l'accompagner.

CHAPITRE VI

LA VÉRITÉ SUR LES AUTRES

Sauf... ce capitonnage affectif. Mystère des mystères... Mais n'est-ce point le meilleur, et le pire, direz-vous ?

STÉPHANE LUPASCO.

L'amitié, selon Proust, n'existe pas. Ou, plus exactement, elle existe, mais il la méprise, la considère comme funeste. La compagnie des hommes pour lesquels il n'éprouve qu'une vague sympathie — et une énorme curiosité — n'est pas condamnée (et comment le serait-elle, car, sans elle, de quoi la *Recherche* aurait-elle été faite ?), ou du moins elle est condamnée pour la seule perte matérielle de temps qu'elle entraîne pour nous. L'amitié, par contre, est condamnée pour des raisons plus graves : elle est nuisible parce qu'elle dévore la substance de notre pensée la plus nôtre. Après trois heures de conversation avec Saint-Loup, le narrateur a le sentiment épuisant d'avoir dépensé au hasard, sans but et sans joie, un peu de la force et des idées qu'il avait le devoir de tenir en réserve pour son œuvre. Non qu'il manque d'affection pour Saint-Loup — ou du moins pour Saint-Loup dans sa première version — ou pour Charlus, ou pour Swann, ou même pour Bloch, ou pour cet ami de Saint-Loup à Doncières, à propos duquel il décrit si bien son début d'amitié, une de ces « sympathies entre hommes qui, lorsqu'elles n'ont pas d'attrait physique à leur base, sont les seules qui soient tout à fait mystérieu-

ses[1] ». Pourtant, malgré la réalité indéniable de l'affection, l'amitié ne nous apporte rien d'essentiel et elle est
une trahison de nous-même.

La raison de ce mépris, dont la *Recherche* réitère si
souvent l'expression, est assez puérile : elle consiste en
ceci que Proust ne met presque sous le mot amitié
qu'une seule chose : briller dans la conversation — et
aux yeux de qui, grand Dieu ! — « échanger des
idées », à table ou dans un salon. Il se sent fatigué
d'avoir développé pendant toute une soirée à l'usage
de Robert ses thèses sur la création artistique. Le
drame de l'honnête homme consiste évidemment, en
l'occurrence, à confondre l'agrément d'être ensemble
et l'activité de penser ensemble, éventuellement de se
communiquer des informations, ce qui peut fort bien
se produire entre deux personnes n'éprouvant l'une
pour l'autre aucune amitié : sa lassitude provient en
grande partie de la confusion perpétuelle (à laquelle le
condamne la fréquentation de la classe de loisir) entre
l'entretien méthodique et le bavardage. Elle provient
de l'utilisation de la forme du bavardage à propos de
questions dont on ne pourrait parler que méthodiquement, et entre gens à peu près également informés.
Mais si Proust, à quarante ans, n'a pas encore compris
ce qu'il aurait dû comprendre à vingt, s'il en est encore
à patauger dans cette confusion, s'il prend la peine de
répondre avec ses idées quand sa voisine de table ou
son camarade de parties fines lui demande sa pensée
sur Sophocle et sur Léonard de Vinci, il ne nous reste
qu'à déplorer la persistance de cette naïveté juvénile
chez un écrivain aussi intelligent et aussi mûr d'autre

---

1. II, 104.

part. La répugnance du narrateur à développer sa pensée profonde s'explique par de bonnes raisons. Quand on arrive à une pensée personnelle, à une vision d'ensemble, à une sensibilité d'ensemble, on ne peut pas les transmettre sur un point particulier isolé, parce que les autres en sont surpris, ne comprennent pas qu'on fait allusion à une vue plus large et n'y voient qu'une prise de position négative, un refus de ce qu'ils connaissent, bref un « paradoxe ». On ne peut donc se communiquer qu'en livrant à la fois l'ensemble et les détails, c'est-à-dire dans une œuvre, et on doit se résoudre à ne tenir dans la conversation que des propos sans importance. Mais cela n'implique pas que l'on ne voudrait ni ne pourrait se faire comprendre d'un interlocuteur suffisamment intéressé par ce que l'on aurait à lui dire, et avec profit pour nous, comme y insiste souvent Montaigne. En outre, Proust n'envisage jamais d'avoir, lui, à apprendre quoi que ce soit d'un autre. Il semble nier que l'on puisse apprendre d'une manière qui n'est ni celle dont on apprend par soi-même ni celle dont on apprend dans les livres, et qui est souvent plus rapide et plus durable que ces deux dernières, qui est même sans doute la seule possibilité que nous ayons dans la vie de brûler les étapes en nous appropriant une expérience qui n'est pas la nôtre. Pourtant, si le narrateur nie cette possibilité, il la connaît, puisqu'il admet que Bloch pour la littérature et Swann pour l'art lui ont fait gagner des années. Or cette transmission accélérée de l'expérience d'un autre, grâce à laquelle nous est révélé parfois en quelques jours ce qui sera pour très longtemps la pâture de notre esprit et marquera toute notre personnalité (il est des habitudes définitives qui s'acquièrent en quelques secondes), elle n'est justement réalisable que sous les hautes pressions de l'amitié, qui seule peut faire que les idées, en se liant et s'incorporant au style d'un individu, deviennent transférables. Cette accélération de maturité, de sensibilité et d'intelligence, presque toujours illusoire dans l'amour, ne l'est pas dans l'amitié.

Malheureusement Proust est mal tombé avec Robert I, fort aimable, affectueux, plein de vitalité, mais intellectuellement assez limité, quoique hélas ! avide de se faire exposer des « points de vue ». La « fatigue » de Proust ne provient en l'espèce que du niveau des gens qu'il fréquente, et c'est un des rares cas où on le surprenne en train de tirer des inconvénients de la vie mondaine une conclusion sur les rapports humains qu'il croit à tort universellement valable. Son livre même porte la trace de ses mauvaises fréquentations : quand il nous développe pour la énième fois ses théories sur l'art, recommence à nous remontrer solennellement que c'est très vilain de ne pas comprendre qu'écrire *Madame Bovary* ça ne se fait pas tout seul, que c'est bien plus difficile que d'éblouir ses auditeurs au cours d'un dîner en ville, que ça ne met pas du tout en jeu chez nous le même genre d'effort et de pensée ; ou encore quand il nous oblige à réentendre pour la centième fois dans le plus grand détail que les œuvres originales ne sont pas toujours goûtées dès leur apparition par le grand public, qu'en conclure ? sinon que Proust a tellement l'habitude de parler à des imbéciles qu'il a contracté la déformation de ressasser à l'infini les idées les plus simplistes et de reprendre inlassablement l'exposé des théories les plus grossières en jugeant nécessaire d'entrer dans d'interminables explications. Tant pis pour lui et pour nous, mais libre à nous aussi de récuser la validité de l'expérience, en raison de la qualité défectueuse de ses cobayes.

La négation proustienne de l'amitié se fonde en outre sur des raisons plus graves, sur cette conviction que nous ne pouvons jamais parvenir à savoir la vérité sur autrui, ni autrui sur nous, et donc que le mensonge est à la base de tout commerce avec les autres.

Les autres, à vrai dire, sont moins des menteurs que des cachottiers. Ils ne sont, en tout cas, aucunement incompréhensibles. Ce n'est pas leur caractère, ce ne sont pas leurs sentiments, leurs motifs, leurs passions, leurs pensées qui sont inconnaissables, c'est leur emploi du temps. Personne ne croit moins que Proust au mystère du dedans. Ce que les humains sentent, veulent, les états intérieurs qu'ils se figurent dissimuler se lisent dans leur mimique, leurs intonations, leurs visages, leurs habitudes verbales. Proust est parmi les plus impressionnables témoins littéraires du comportement, ou plutôt il ne lui vient pas à l'idée de séparer le comportement du sentiment, il démontre en écrivant l'inanité de la distinction théorique et abstraite entre roman psychologique et roman objectif. Lorsqu'il décrit ainsi, par exemple, un trait particulier de Charlus : « Je m'aperçus alors que ses yeux, qui n'étaient jamais fixés sur l'interlocuteur, se promenaient perpétuellement dans toutes les directions, comme ceux de certains animaux effrayés, ou ceux de ces marchands en plein air qui, tandis qu'ils débitent un boniment et exhibent leur marchandise illicite, scrutent, sans pourtant tourner la tête, les différents points de l'horizoin

par où pourrait venir la police[1] », Proust décrit à la fois
« l'extérieur » et « l'intérieur », ou plutôt ne se pose
heureusement pas le faux problème de leur séparation.
Il fait exactement ce que chacun de nous fait en semblable circonstance : il ne s'intéresse à un spectacle de
gestes que dans la mesure où, au même moment, il en
perçoit ou en pressent la signification psychologique,
sans quoi il ne verrait même pas ce spectacle, il n'en
prendrait même pas conscience. L'opposition du
roman psychologique et du roman behavioriste se
révèle ici, une fois de plus, entièrement scolaire, car
plus on est psychologue plus on est sensible aux comportements, à leurs détails, à leur diversité infinie,
comme l'est Proust qui, en outre, lorsqu'il parle de ce
qu'il éprouve, part de son point de vue subjectif, de
son « intériorité » (et l'on voit mal comment il pourrait
faire autrement sinon par un artifice de narration),
mais la raconte comme une succession d'événements,
en même temps qu'il raconte ses actions et ce qui lui
provient du dehors.

Il n'y a pas d'intériorité pure chez lui, donc pas de
secret des êtres, du moins pas en droit. Par contre, il y a
de sérieuses difficultés à se renseigner sur leurs actes.
Si j'ai longuement fréquenté quelqu'un, j'arriverai de
plus en plus facilement à sentir ce qu'il éprouve, mais
jamais je ne pourrai jurer de ce que faisaient mon
meilleur ami ou ma maîtresse hier à cinq heures. A cet
égard, les rencontres dues au hasard ou les révélations,
tout aussi fortuites, apportées par le temps me réserve-
ront toujours des surprises. Quand le narrateur
demande à Albertine : « A quoi pensez-vous ma ché-

1. I, 759.

rie ? » et qu'elle répond : « A rien », cela ne veut pas
dire que la pensée humaine est par essence indicible —
la pensée d'Albertine serait très facile à formuler —
mais que tout le monde, même l'être qui nous est le
plus cher, nous cache toujours une partie de ce qu'il
fait et de ce qu'il complote. En un mot, il n'y a pas chez
Proust de mystère psychologique des êtres, mais un
mystère moral. Nos *états* subjectifs n'ont rien d'énig-
matique, mais on ne saurait imaginer de quels *actes*
nous sommes capables.

La vérité — la vérité *biographique*, la seule qui
importe, sur ceux que nous aimons — nous l'apprenons très partiellement, très tardivement, parce qu'au
moment où cette vérité nous serait capitale, tout
s'acharne à nous la dissimuler, à commencer par notre
avidité même de la connaître. Les faits essentiels,
ceux à propos desquels le doute a marqué notre cœur
au fer rouge, nous ne les connaîtrons la plupart du
temps jamais avec certitude. Swann mourra sans savoir
si « cette nuit-là » Odette était vraiment couchée avec
Forcheville. La tradition orale, en majeure partie fantaisiste, les enquêtes que la passion nous pousse à
entreprendre, plus souvent encore les ragots, charrient
de temps à autre jusqu'à nous quelques bribes de renseignements. Au demeurant, les rapports se contredi-
sent dans presque tous les cas. S'agit-il de savoir si
Saint-Loup était déjà pédéraste à l'époque des *Jeunes
Filles en fleurs* et si c'est vraiment pour faire l'amour
avec le garçon d'ascenseur qu'il s'enfermait à Balbec
dans la chambre noire sous prétexte de développer des
photographies ? Je ne dispose, pour m'en convaincre
ou non, que des affirmations divergentes du complice
présumé et d'un maître d'hôtel. « Est-ce le liftier ou

Aimé qui ment[1] ? », voilà comment s'énonce pour moi le problème quand je désire savoir la vérité sur mon meilleur ami.

Il n'est donc pas étonnant que la vérité sur les autres, « cette vérité que les trois quarts des gens ignorent[2] », nous échappe, et d'autant plus régulièrement que « les gens » croient à leur idées fausses sur leurs semblables avec une force proportionnelle à l'inexactitude ou même à l'invraisemblance de leurs informations. On croirait entendre Protagoras, selon qui tout ce qu'on est autorisé à dire du réel, c'est qu'il n'est « pas même ainsi », quand on voit Proust citer, en guise d'échantillon de la manière dont les hommes se forgent leurs croyances les uns au sujet des autres, la nouvelle que « dans le peuple roumain le nom de Ronsard est connu comme celui d'un grand seigneur tandis que son œuvre poétique y est inconnue. Bien plus, la noblesse de Ronsard repose en Roumanie sur une erreur[3] ».

D'où les métamorphoses déconcertantes, dans la *Recherche*, métamorphoses qui proviennent au moins autant du bouleversement de nos renseignements que de celui des personnalités. La question n'est pas tranchée de savoir si les mœurs amoureuses de Saint-Loup ont vraiment changé ou bien s'il a toujours été homosexuel et si c'est seulement moi qui l'ai appris tardivement. Les êtres nous sont connus par aspects successifs qui s'éclairent pour nous par fragments, reliés entre eux par d'immenses lacunes. Aucune raison, aucune nécessité, aucun ordre ne décident du choix, de la

1. III, 681.
2. III, 1023.
3. II, 902.

fréquence, de l'importance, du nombre de ces révélations : nous sommes donc perpétuellement exposés à
constater un fait capable de retourner sens dessus dessous notre opinion des gens mêmes que nous voyons
tous les jours. C'est sans doute pour donner à cette
constante mutation de l'apparence des êtres l'allure le
plus spectaculaire possible que Proust dramatise
jusqu'à l'invraisemblance la soudaineté et l'intégralité
de ces renversements. Et c'est à leur caractère imprévisible, fondamentalement incroyable et inattendu, que
sont dus en partie ces effarements rétrospectifs du
narrateur devant les « coïncidences » de la vie : c'est *le
soir même* où la princesse de Guermantes a tenté de se
tuer à cause de lui que M. de Charlus courtisait un
affreux receveur d'omnibus dans un fiacre. C'est toujours précisément ce fameux jour où ma maîtresse a
été si tendre, où je me suis cru plus que jamais certain
de son amour, qu'elle a rejoint X dans une cabine de
bain. Les énigmes des autres, chez Proust, tombent
souvent au même niveau que les stratagèmes d'une
petite bourgeoise, épouse d'un chef de bureau, ayant
en outre deux amants à la fois — la Parisienne de
Becque.

Les informations inexactes des gens sur leurs semblables vont en général dans le pire sens : elles canoni-
sent les méchants, posent le laurier du génie sur la tête
des imbéciles, offrent à la patrie Cottard « tué au
front », alors qu'il n'a jamais quitté le salon des Verdurin, mais attribuent par contre la ruine partielle du
narrateur à son ambition de se hausser au-dessus de sa
condition, de mener grand train pour éblouir les

nobles, alors qu'en fait il s'est ruiné par amour pour une jeune fille d'un milieu très inférieur au sien. Quant aux vérités contrôlées, constatées par le narrateur, elles noircissent uniformément le portrait d'autrui, le révèlent toujours moins estimable qu'on ne l'avait cru au premier abord. Contre une révélation qui fait apparaître certains individus comme un peu moins abjects qu'on ne les croyait — le trait de bonté des Verdurin, servant à l'insu de tous une petite rente à Saniette — il y a vingt découvertes accablantes, et l'ensemble de la *Recherche* progresse pas à pas dans le sens d'une inexorable dégradation de la valeur morale de ses personnages. Rares sont ceux qui n'arrivent pas aux trois quarts déchiquetés à la clôture du livre. La méchanceté poussée jusqu'au crime, le manque de toute honnêteté dans les convictions, le caractère postiche de la plupart des talents, des cultures, des goûts, des idées composent une humanité d'autant plus décourageante que, précisément, personne, même pas l'historien, ne saura ni ne rétablira jamais la vérité. Dans le présent comme dans le futur, le vice sera toujours pris pour la vertu, le talent authentique pour un talent emprunté, à moins de coïncidences dues à l'annulation mutuelle de deux erreurs. Quelle simplicité excessive, de la part d'un auteur qui passe pour aussi subtil que Proust (son mérite serait plutôt, à mes yeux, de posséder un solide bon sens, dans certains cas, et de se refuser au papillotement des interprétations trop séduisantes), quelle naïveté dans cette façon d'admettre la falsification mécanique et inévitable de la biographie des gens, sans jamais avoir envisagé un seul instant que notre connaissance de cette biographie pût avoir d'autres sources que les potins de salons et les bavardages de bains de mer.

Mais, que la vérité soit connue ou non, l'important est la conception que l'auteur s'en fait. Quels sont les personnages de la *Recherche* auxquels on accepterait encore de serrer la main ? D'abord les saintes : la grand-mère et la mère, qui sont hors de la vie, astres de bonté pure. Ensuite le martyr : Vinteuil, qui appartient d'autre part au groupe des créateurs, ceux dont les actions sordides ou vulgaires, s'ils en commettent, sont rédimées par le génie : Bergotte, Elstir. Après quoi, émergent les deux principaux personnages du livre : Swann et Charlus (car Albertine, pas mauvaise fille du reste, et pas stupide, ne laisse pourtant pas dans l'esprit du lecteur une image bien vive, ni le souvenir d'une histoire bien riche). Tous deux ont un point commun : l'authenticité de leur culture. Les moments où Swann parle d'architecture, où le baron parle de musique sont parmi les rares où nous lisions dans la *Recherche* des conversations sur les arts et les lettres sans avoir le sentiment d'écouter des poseurs ou des naïfs. Swann et Charlus sont tous deux réellement intelligents — l'intelligence du baron étant toutefois un peu gâtée par la démence — car, chez tous les autres, ce qui afflige, c'est qu'ils peuvent faire illusion un certain temps, mais qu'au bout du compte, ils sont si bêtes ! Cependant, la qualité qui, pour le cœur de Proust comme pour celui de Montaigne, définit la moralité, la seule qui attire sa sympathie la plus profonde, c'est la bonté, cette bonté qui, malgré les folies et les méchancetés dues à l'orgueil blessé ou au dépit, transfigure et sauve Charlus. Pour clore cette liste, accepterions-nous de serrer la main de Jupien ? Il n'est pas particulièrement bon, et Proust néanmoins le sauve, peut-être pour la raison que cet homme du peuple s'exprime naturellement dans un français pur et élégant.

Quant aux autres, l'explication que Proust donne d'eux se ramène à celle de La Rochefoucauld. Leur bonté, en particulier, « simple maturation qui finit par sucrer des natures plus primitivement acides que celle de Bloch[1] », n'est jamais que cette bienveillance due au déclin des appétits, à la satiété des plaisirs et de l'argent, à l'apaisement de l'amour-propre comblé, à la fatigue. L'honnêteté de leurs convictions, leur intérêt pour la vérité, leur souci de la justice, la sincérité de leurs sentiments sont toujours taillés dans l'étoffe du dreyfusisme de Saint-Loup ou de Bontemps, changeant de morale politique en changeant de maîtresse ou de poste ; ou dans celle de la conscience profession- nelle de ces médecins qui poussent un soupir de soula- gement en apprenant que le malade dont ils avaient pronostiqué la mort est bien mort, et, par contre, se vexent du coup de chapeau de celui qu'ils croyaient depuis un an au Père-Lachaise ; ou enfin dans l'étoffe de l'estime et de l'amitié de la duchesse de Guermantes pour Swann, dont la mort prochaine, brusquement annoncée avant une soirée, ne retarde pas d'une minute le moment pour elle de s'y rendre.

Lorsqu'on se demande quel motif peut pousser les personnages de *la Recherche du temps perdu* à se réu- nir régulièrement, puisque l'amitié n'existe pas, selon

1. III, 969.

Proust, quel but ils poursuivent en se retrouvant, quel plaisir ils peuvent bien ressentir à passer des heures ensemble, on ne voit finalement qu'une seule réponse qui s'applique à toutes les manifestations sociales proustiennes : on se groupe pour se livrer à la méchanceté. La méchanceté est le moteur commun à tant de soirées, raouts, matinées, garden-parties, dîners, qui tous, malgré la variété des milieux, des niveaux sociaux, du nombre des participants, des occasions, que ce soit à la ville ou à la campagne, présentent ce trait commun de réaliser une sorte de caricature des réjouissances qu'ils sont censés faire naître, d'offrir l'image pervertie, le résidu vénéneux de coutumes anciennes et oubliées. Ce terme ultime de la décadence des fêtes dans la haute société européenne occidentale, c'est bien chez Proust qu'on en découvre les meilleurs exemples circonstanciés, cette totale inversion du principe même de la fête, ces antifêtes permanentes qui consistent à se rassembler pour se consacrer intensément à l'activité d'être méchants les uns pour les autres, chacun étant préoccupé avant tout d'obtenir de petits triomphes de cruauté et d'éviter pour lui-même la cruauté d'autrui.

Les fêtes proustiennes ne satisfont même plus ce besoin d'étalage des biens matériels, de la bonne chère et du luxe que Thorstein Veblen étudiait à peu près à la même époque dans la haute société américaine de fraîche naissance, sous le nom de « conspicuous consumption », consommation ostentatoire de produits, on peut même dire destruction ostentatoire de produits car la « conspicuous consumption » évoque la cérémonie du potlatch en laquelle s'enracinent ces éblouissants gaspillages. Dans ces fêtes on s'ennuie, mais au moins on mange et on boit. Chez Proust ne circulent jamais que quelques fantomatiques petits fours, simples allusions à un âge où l'humanité se nourrissait. Quant à la boisson, ce n'est certainement pas pour s'enivrer que les invités de la *Recherche* prolongent ces soirées d'où le champagne est sauvagement absent, ayant fait place à l'orangeade, à la fraisette, à la cerisette, boissons délicieuses, certes, mais peu stimulantes. De vagues prétextes musicaux — quel que soit l'intérêt pris par le narrateur lui-même aux œuvres exécutées — ne suffisent pas non plus à justifier ces réunions, il vaudrait mieux dire ces attroupements, car, une fois opérée la seule sélection dictée par le snobisme, les amphitryons de la *Recherche* n'ont pas le moindre souci des conditions de quantité et d'affinités que doit remplir, dans une société civilisée, une réunion entre être humains, pour être plaisante ou même éventuellement instructive. Aucune conversation ne pouvant donc éclore dans ces antifêtes, autre que stupide et futile, l'idée fixe des participants consiste, pour chacun, à se réjouir d'y être présent quand d'autres en sont exclus. La principale activité consiste à regarder autour de soi pour voir qui est là, qui n'a pas été invité, qui n'est pas venu malgré l'invitation reçue — échec pour les maîtres de maison — enfin qui on s'étonne, qui on se scandalise de voir là, les maîtres de maison devenant alors coupables de vous avoir tendu un guet-apens en vous invitant avec des gens infréquentables. Dans les salons qui ont une forte situation mondaine et où, en principe, tous ceux qui reçoivent une invitation sont trop heureux de se rendre, la cruauté jubilatoire s'exerce aux dépens des exclus. Les hôtes de second ordre, au contraire, tremblent de manquer de monde, et, au cours de la fête de la princesse de Guermantes, on voit Mme de Saint-Euverte recruter des adhérents en vue de sa propre garden-party, qui doit avoir lieu le lendemain[1]. Pour mesurer l'élévation des préoccupations et le raffinement des usages auxquels on peut s'attendre en ce domaine, il suffit de rappeler que le narrateur, lorsqu'il reçoit un carton l'invitant à cette même fête donnée chez la princesse de Guermantes, redoute tout d'abord une farce de quelqu'un qui lui aurait envoyé un faux carton pour avoir le plaisir de le faire mettre à la porte par un valet de pied de l'hôtel de Guermantes. Inquiet et désireux d'en avoir le cœur net, il va trouver le duc de Guermantes, lequel, détestant se compromettre, refuse, par le biais de divers faux-fuyants, de se mêler de cette histoire et de poser directement la question à son frère le prince, et laisse charitablement Marcel dans l'embarras.

Les « fêtards » passent leur temps à s'épier, dans l'espoir d'assister à l'humiliation de l'un d'entre eux. Cet espoir se prend souvent pour une réalité : lorsque le prince de Guermantes attire Swann à part (pour lui parler de l'affaire Dreyfus), le bruit se répand aussitôt à travers les salons que c'est « pour le mettre à la porte ». Même les mésaventures physiques seront assez bonnes pour provoquer l'extase des témoins : le grand-duc Wladimir rit à gorge déployée en voyant Mme d'Arpajon et sa robe du soir entièrement inondées par le jet d'eau d'Hubert Robert, qu'un coup de brise à rabattu[2]. Le grand-duc croit devoir compatir ensuite en s'écriant : « Bravo la vieille », cependant

1. II, 669.
2. II, 657.

que M. de Charlus épilogue à voix stridente sur la puanteur supposée d'une dame qui, toute proche, ne perd pas un mot des propos du baron, mais, en raison de la puissance mondaine de ce dernier, avale sans réagir cet affront tout gratuit. Les compliments sont aussi légers que les rosseries : la princesse de Guermantes crie à travers un de ses salons : « Madame de Villemur ! M. Detaille, en grand peintre qu'il est, est en train d'admirer votre cou[1]. »

Un certain art de la fête serait une possible justification esthétique de la société que décrit Proust. Mais cette société ne s'amuse pas plus qu'elle ne travaille, ne jouit pas plus qu'elle ne crée. Et on ne peut s'empêcher de se rappeler par contraste que le sens de la fête est au même moment très vivace dans les classes populaires, telles, par exemple, que les décrivait Zola peu auparavant. Alors que les snobs de Proust se réunissent pour cultiver leurs mauvais sentiments, les ouvriers de Zola organisent des repas plantureux où ils retrouvent une des raisons d'être principales des fêtes : l'oubli des offenses, la liquidation des rancœurs, l'exaltation de la générosité matérielle et affective.

Les relations entre les hommes ne se justifient donc ni par l'amitié, ni par l'estime, ni par l'agrément. Cette conclusion pessimiste et trop simple, il n'est pas question pourtant que nous y conformions notre conduite, et nous nous empressons, à peine l'avons-nous formulée, d'aller rejoindre ceux qu'il faut bien encore appeler nos amis, et dont nous ne pouvons pas nous passer. Proust a besoin de ce pessimisme moins pour vivre que pour écrire. Si en effet aucune vérité, aucune honnê-

1. II, 657.

teté, n'est à espérer du commerce des humains, que reste-t-il ? Aucune échappatoire métaphysique ne convertit, chez Proust, le négatif en positif. Il est bon de le rappeler car certains interprètes sont allés jusqu'à voir en Proust un auteur religieux. En vertu de ce que j'ai appelé ailleurs[1] l'argument de Bélise[2] — argument selon lequel c'est justement parce que quelqu'un est indifférent à quelque chose qu'il en est hanté — on est allé parfois jusqu'à nous fomenter un Proust chrétien. Or de même que Proust est un des rares écrivains français de sa génération qui n'ait pas succombé au chauvinisme belliciste, il a su se tenir à l'écart également du picotement spiritualiste qui commençait vers 1920 à agacer les muqueuses de l'intelligence nationale et qui bientôt allait vaporiser sur la littérature française les éternuements d'eau bénite dont elle est encore toute ruisselante. Proust n'ayant jamais écrit en définitive que sur ce qu'il avait cru constater — le véritable prosaïsme, qui tue l'intérêt d'un texte, étant, bien entendu, non pas cette fidélité à la constatation, mais l'indiscrétion mythologique et l'affirmation décorative — il n'a jamais évoqué l'immortalité que dans les termes les plus vagues, et dont on peut dire qu'ils sont liés plus à des habitudes de langage qu'à des croyances explicites. On peut difficilement voir autre chose qu'une oraison funèbre polie dans le passage vaguement rousseauiste et kantien qui suit le récit de la mort de Bergotte[3] et dans cette argumentation, romantique

1. Voir *le Style du Général*, 1959, p. 69.
2. Dans *les Femmes savantes*, la vieille fille Bélise dit de ses amants, qui n'existent que dans son imagination :
   Ils m'ont su révérer si fort jusqu'à ce jour
   Qu'ils ne m'ont jamais dit un mot de leur amour.
3. III, 187-188.

dans le fond et très éteinte et officielle dans la forme, tirée de la conscience de l'artiste, en faveur d'une survivance non invraisemblable. On ne voit rien chez Proust qui aille au-delà de ce qu'ont écrit les poètes de l'antiquité, quand il mentionne en termes imprécis et fugitifs « ces mystères qui n'ont probablement leur explication que dans d'autres mondes[1] ».

L'idée de la mort, chez Proust, est constante, comme chez Montaigne, mais, comme chez lui, la mort est un pur fait, sur lequel nous ne pouvons rien dire. La mort des autres ne se distingue guère de leur absence : la perte d'un objet amoureux nous affecte de la même manière qu'une mort. Les divers soubresauts de la souffrance, jusqu'au détachement final et à l'oubli, les diverses étapes qu'il faut parcourir pour mériter l'indifférence, les diverses haies d'épine et les fourrés épais qu'il faut traverser sont les mêmes dans les deux cas. Il n'y a aucune différence intrinsèque entre notre conscience de la mort d'autrui et notre conscience d'une séparation définitive d'avec un être vivant. Quant à notre propre mort l'idée nous en accompagne, nous ne pouvons ni l'éviter ni l'apprivoiser. Les constructions mythologiques et philosophiques sont évidemment des gambades où se dépense notre anxiété en présence de l'intolérable. C'est un léger progrès que de savoir rester un peu tranquille. Comme dans son compte rendu de la passion, Proust n'élude pas plus le problème qu'il ne se figure avoir le droit de le résoudre à sa fantaisie du moment qu'il consent à l'apercevoir (ce qui caractérise l'esprit philosophique). Comme la passion, la mort est une question de fait et non de principe. La cons-

1. III, 1032.

tante dissolution du moi, c'est-à-dire de l'affectivité sous la forme précise du désintéressement des émotions plongeant sans cesse le passé dans l'indifférence (car « ce sont les paradis perdus où l'on se sentirait perdu[1] ») nous fournit une expérience peut-être analogue à la mort. Cette expérience nous aide un peu, en même temps, à supporter l'idée de notre anéantissement, puisqu'elle nous prouve que l'indifférence à la vie pourrait en précéder et en rendre tolérable la perte, et que peut-être l'imminence de la mort même, précédée de peu par la rupture de nos liens avec nos propres émotions « nous guérira du désir de l'immortalité[2] ». Proust nous fait comprendre en outre par là que toutes les morts ne sont pas équivalentes, subjectivement, et toutes subies dans les mêmes dispositions ; et que la sagesse populaire n'a sans doute pas tort de distinguer la mort d'un être jeune et celle d'un vieillard, entre la mort accidentelle et la mort naturelle, la mort qui frappe et celle à laquelle on se prépare, si faible soit cette marge de préparation, et de les distinguer, en tenant compte de la souffrance organique probablement très grande que donne, sans doute, le fait même de mourir.

La mutation incoercible du moi se rattache ou conduit à l'impossibilité de connaître la vérité sur les autres, puisque moi-même je suis le premier des autres. Il n'y a rien dans ces considérations psychologiques que de très banal. Le difficile consiste à donner un sens à la vie en tenant compte de ces faits. On sait que pour Proust personnellement le moyen d'y parve-

1. II, 859.
2. III, 645.

nir, de rendre à la fois la vie intéressante et la mort indifférente, c'est d'élaborer une œuvre d'art.

Certes on ne s'habitue jamais à l'idée de la mort. Même quand le narrateur peut dire « l'idée de la mort s'installa définitivement en moi[1] », il ajoute aussitôt « non que j'aimasse la mort, je la détestais ». Ce n'est pas non plus qu'à la manière des poètes de l'Antiquité et de la Renaissance il se réjouisse à l'idée que la postérité perpétuera sa mémoire : le jugement de la postérité sur son œuvre lui est aussi indifférent — de ce point de vue — que celui des contemporains. C'est par un abus des mots qu'on cherche à se persuader que la création artistique guérit de la peur de mourir. Inversement, le sentiment d'approcher de la mort engendre chez le narrateur les dispositions qui lui permettent de se consacrer avec assiduité à son œuvre.

1. I II, 1042.

CHAPITRE VII

L'ŒUVRE D'ART

Un homme né sensible et qui n'aurait pas d'imagi-nation pourrait malgré cela écrire des romans admirables[1].

... L'affaiblissement de la sensibilité, qui est la banqueroute du talent[2].

MARCEL PROUST.

1. *Le Temps retrouvé.*
2. *Contre Sainte-Beuve.*

Proust affirme constamment, et c'est une des idées auxquelles il tient le plus, que l'œuvre d'art procède d'un « moi profond », différent du moi de la vie quotidienne, étranger aux conversations ordinaires, sans rapport avec la personnalité que nous exposons habituellement aux autres. Le tracé de cette frontière hermétique entre les deux moi, dont un seul serait créateur, et qui seraient à ce point distincts entre eux que donner la parole à l'un, celui de la création, ce serait faire taire l'autre et inversement, cette séparation absolue du moi intime de l'œuvre et du moi superficiel de la vie convaincrait sans doute davantage si nous ne constations à chaque page de la *Recherche* que c'est dans le moi superficiel que le moi profond puise le plus clair de ses informations. On se demande ce que ferait le moi créateur chez Proust si le moi quotidien n'était pas là pour le renseigner. Car ce n'est pas du « pays secret », vierge de tout contact avec l'expérience, que le moi créateur proustien a tiré, je suppose, les calembours de Cottard, la démarche du baron de Charlus, le rire de Mme Verdurin, l'éloquence de M. de Norpois, les cuirs du directeur du Grand-Hôtel, et la description du salon des Guermantes. Tout se passe comme si Proust, tout en rendant un culte à une esthétique, en pratiquait une autre opposée. Il semble, dans *Du côté de chez Swann*, partir d'une conception nervalienne de son œuvre, une conception lyrique, visionnaire, mélodieuse et tapissant les choses d'un halo affectif discrètement irréel, mais plus l'œuvre avance plus c'est un mémorialiste réaliste et précis qui parle, plus c'est Saint-Simon qui l'emporte, en Proust, sur Nerval. Dès *Un amour de Swann*, on le sent plus à l'aise dans la peinture du « petit noyau » que dans les lourdes tentatives de poésie évocative à propos des noms de villes normandes. Les passages auxquels le narrateur semble tenir le plus, qu'il semble considérer comme l'âme de son livre, par exemple la description des eaux de la Vivonne, pourraient être signés par Henri de Régnier, ou par un écolier imitant Henri de Régnier. Quel lecteur de Proust ne prend la fuite, aujourd'hui, quand il voit se profiler au tournant d'une page, comme se profile au coin d'une rue la silhouette menaçante d'un impitoyable raseur, les accablantes et increvables aubépines ? Chose curieuse, le style de Proust qui abonde en bonheurs et fait surgir sans difficulté devant nos yeux tout ce que l'auteur veut quand il s'agit de montrer des hommes, devient brusquement pesant et comme aveugle, s'essoufflant en vain, dès qu'il s'agit de décrire un objet ou la nature. Ainsi, au milieu du récit de la soirée chez la princesse de Guermantes, dans lequel le défilé des gens, des gestes et des mots est si vif, si parfaitement juste qu'on oublie même de faire attention au style, parce qu'on en bénéficie sans plus éprouver le besoin de se demander ce qu'il vaut, Proust aborde la description du jet d'eau d'Hubert Robert. Un déclic se produit dans le texte, l'auteur change de ton, il entend placer un morceau. Et en effet il le place : « Dans une clairière réservée par de beaux arbres dont plusieurs étaient aussi anciens que lui, planté à l'écart, on le voyait de loin, svelte, immobile, durci, ne laissant agiter par la brise que la retombée plus légère de son panache pâle et frémissant[1]. » Cela évoque irrésistiblement Jean Nesmy, Maurice Bouchor ou Ernest Pérochon, ces auteurs souterrains dont les noms ne survivent plus que dans les livres de classe des tout jeunes enfants, à la fois parce qu'ils sont inoffensifs, qu'ils abondent en descriptions et qu'ils se prêtent à être découpés en courts fragments propres aux dictées. Quant à la suite de la description du jet d'eau d'Hubert Robert, tout ce qu'on peut dire est qu'elle est quasiment inintelligible, non point par excès de subtilité, mais par impuissance à faire ressortir une représentation quelconque de toutes les comparaisons alourdissantes que Proust accumule en vain autour de lui. Il faut rassembler les phrases de cette évocation comme les pièces d'un puzzle pour en dégager péniblement une impression visuelle. Et surtout, le naturel semble avoir soudain abandonné l'auteur, pendant le trajet de ces lignes heureusement point trop nombreuses.

Proust a écrit : « Je crois que la métaphore seule peut donner une sorte d'éternité au style[2] », mais s'il n'y avait que les métaphores pour donner une sorte d'éternité à la *Recherche du temps perdu*, l'éternité en question serait fort compromise. Si l'on dressait une liste des métaphores proustiennes on serait étonné des bévues et du manque de goût dans lesquels il lui arrive

1. II, 656.
2. *A propos du style de Flaubert*, dans *Chroniques*.

de tomber quand il emploie un langage imagé, ou simplement des platitudes en quoi il abonde, en croyant devoir recourir, par exemple, à « cette brillante étoile qui, à l'instant du réveil, éclaire derrière le dormeur son sommeil tout entier[1] » ou dire « quand, par les soirs d'été, le ciel harmonieux gronde comme une bête fauve[2] », ou encore lorsqu'il complimente la mer « sur les sommets neigeux de ses vagues en pierre d'émeraudes[3] », ou enfin se laisse aller à quelque ahurissante licence d'imagination dans le genre de celle-ci : « Symbole soit de cette invasion que prédisait le défaitisme de M. de Charlus, soit de la coopération de nos frères musulmans avec les armées de la France, la lune étroite et recourbée comme un sequin semblait mettre le ciel parisien sous le signe oriental du croissant[4]. » Quoi qu'il ait pu en penser lui-même, ce n'est pas quand il est métaphorique que Proust est un grand écrivain, c'est quand il est direct, et ce n'est pas quand il est poète qu'il est original et a quelque chose à nous apprendre, c'est quand il est réaliste, narratif et chroniqueur.

Comme si l'auteur de la *Recherche* avait trop bien indiqué la voie à ses commentateurs, ceux-ci se sont acharnés à voir dans son livre tout ce qui ne s'y trouvait pas ou ce qui, s'y trouvant, n'en constituait pas le caractère original. Rien de plus instructif à cet égard que les comparaisons courantes entre Proust et d'autres auteurs. On a comparé Proust à Henry James, peut-être parce qu'on croit que ce sont tous deux des

1. II, 336.
2. I, 186.
3. I, 672.
4. III, 809.

« compliqués », alors qu'on pourrait reprocher à Proust, à meilleur droit qu'un byzantinisme « décadent », un penchant à la simplification caricaturale et à la naïveté dans ses théories et, plus souvent que l'abus de l'allusion, une explication de ses points de vue qui va jusqu'au ressassement. On a comparé également Proust à Joyce, alors que les questions de composition et de forme ne jouent aucun rôle dans la *Recherche*, si copieuse soit la rhétorique qu'a pu faire couler la fameuse et mythique « composition en rosace », façon pudique de dire qu'il s'agit d'un ensemble de pièces aux coutures hasardeuses, de plusieurs coulées d'inspiration librement suivies. D'ailleurs, quelle œuvre littéraire d'un intérêt durable est jamais sortie de préoccupations exclusivement formelles ? Lorsqu'on parle de forme du roman ou de la poésie, on oublie que la littérature n'est ni la musique ni la peinture ou l'architecture, que les mots et les phrases ne sont pas des formes, ou ne le sont qu'à titre secondaire, étant avant tout essentiellement des signes conventionnels destinés à exprimer des idées, et valant d'abord par la valeur de ces idées. Ce n'est que par analogie qu'on peut parler de forme en littérature, et si les innovations de contenu s'accompagnent souvent d'une innovation de la forme, il n'est pas de révolution littéraire qui ne soit d'abord une révolution du contenu, c'est-à-dire, pour parler platement, la découverte d'un sujet original, de nouvelles choses à dire. Il ne serait pas difficile de montrer que, même dans *Ulysse*, où la modification de la narration traditionnelle est pourtant si apparente (bien que certains des chapitres les meilleurs, le premier par exemple, soient écrits selon une technique semblable à celle de Flaubert et que de nombreux

autres chapitres soient simplement des pastiches de
divers styles, style des journaux, style épique médié-
val, etc.), c'est la nouveauté de la matière, c'est-à-dire
l'audace de la pensée, qui, à la base, fait la grandeur et
le caractère révolutionnaire de ce roman. Quoi qu'il en
soit, la structure fortement marquée d'*Ulysse*, l'usage
qui y est fait de la langue asyntaxique du monologue
intérieur en font un livre d'une tout autre famille que
celle de la *Recherche*. Lorsque fut traduit en français
l'Homme sans qualités, l'inévitable rapprochement
avec la *Recherche* ne manqua pas de se présenter à
nombre de bons esprits, peut-être parce que les deux
livres contiennent des phrases longues. Pourtant,
l'Homme sans qualités se déploie sur le terrain ambigu
du symbole, veut être à la fois comique et allégorique,
surtout allégorique, préoccupation tout à fait étrangère à Proust. Ce que poursuit Musil, à travers sa
description d'un milieu historique, ce sont des prototy-
pes d'attitudes sociales et surtout morales et spirituelles : Diotime, Clarisse, Arnheim. Au contraire, chez
Proust, un personnage est toujours un personnage particulier. M. de Norpois ou Mme Verdurin ne sont des
types d'une époque et d'une société que parce qu'ils
sont tels en eux-mêmes ; Proust, quant à lui, les décrit
comme individus. Il n'y a même pas chez Musil ce
comique riche, burlesque et bouffon commun à Joyce
et à Proust (un talent sur lequel on attire rarement
l'attention chez l'un comme chez l'autre), car le
comique de Musil n'a pas le gigantesque du comique
proustien ou joycien, il est tout en filigrane et suscite la
réjouissance intime plus souvent que le fou rire. Lorsque Valery Larbaud et Benjamin Crémieux révélèrent
à l'Europe Italo Svevo, plusieurs critiques l'assimilè-

rent aussitôt à Proust, probablement parce que, dans *la Conscience de Zeno*, Italo Svevo fait parler un homme qui cherche à reconstituer son passé, à l'usage, du reste, de son psychanalyste. Malgré la différence immense de style, bien que le passé de Zeno soit constamment retrouvé, avec effort, comme passé, à travers l'angoisse du songe éveillé ou au contraire la fulguration éblouissante du souvenir obsédant — alors qu'au contraire c'est toujours au présent que nous vivons le récit de Proust —, on les met ensemble du seul fait qu'ils utilisent tous deux le mot « mémoire ». Un essayiste italien écrivait en 1926 : « Pour nous, la définition "analyste" n'a pas la signification ni l'importance qu'elle peut avoir en France, où la critique a dû l'inventer pour donner un statut *(sistemare)* à Marcel Proust et à ses imitateurs. Pour nous, Manzoni est aussi un analyste, et on peut dire que le roman italien, des *Promessi Sposi* à *Lemmonio Boreo* est un roman d'analyse. » Nous constatons une fois de plus cet automatisme dans le jaillissement du cri « roman d'analyse » dès qu'on a affaire à un écrivain qui réfléchit. Le critique cité tient d'ailleurs ce genre en médiocre estime, si l'on en juge par ce qu'il écrit un an plus tard des mêmes romanciers : « Italo Svevo, auteur de très médiocres romans... est proclamé grand écrivain par un exécrable poète irlandais, Joyce, et un exécrable poète parisien, Valery Larbaud... Quel est le mérite de Svevo ? De s'être rapproché, plus que tout autre Italien, de cette littérature passivement analytique qui a eu son moment suprême en Proust[1]. » Tous ces rap-

---

1. Guido Piovene, cité par Bruno Maier, dans son *Introduction historique aux œuvres complètes de Svevo* (Italo Svevo, *Opere*, dall'Oglio editore, Milan).

prochements injustifiés qui reposent sur des identifications entre les œuvres au nom des coïncidences les plus extérieures, montrent la persistance de slogans erronés, même à propos d'un des écrivains les plus lus et les plus commentés. Plus tard, vers 1958, on a prononcé le nom de Proust à l'occasion du roman agréable et industrieux du prince de Lampedusa, *le Guépard*, uniquement parce que cette histoire se passe dans l'aristocratie.

La séparation entre le moi de la vie et le moi « créateur », Proust l'a établie en discutant « la méthode de Sainte-Beuve », la méthode d'explication des œuvres littéraires par la biographie des écrivains. Mais on doit distinguer le cas particulier de Sainte-Beuve et la thèse générale que Proust cherche à soutenir en le réfutant.

Sur le cas particulier d'un critique, le *Contre Sainte-Beuve* est inattaquable. Ce livre, un des très rares livres de critique littéraire écrits en notre siècle, avec ses pages sur Nerval, sur Balzac, rencontra, lors de sa publication posthume en 1954, un accueil fait de gêne et de froideur, parce qu'il réduisait à néant le principe même d'une certaine histoire littéraire en France. Bien que le *Contre Sainte-Beuve* fût une œuvre tardivement découverte d'un auteur classique, on l'a traité comme s'il avait été le livre d'un débutant, on l'a attaqué et passé sous silence à la fois, c'est-à-dire mentionné avec réprobation, tout en se gardant bien de préciser ce qu'il contenait, et, à plus forte raison d'y répondre, à vrai dire pour la meilleure raison du monde : l'incapacité de le faire. Il faut se méfier des gens qui disent « Je n'aime pas la polémique », c'est en général qu'ils lui préfèrent l'équivoque insidieuse. Réfractaires à la polémique dans la mesure où, en réalité, ils sont simplement à court d'arguments, ces êtres délicats se contentent de remplacer leurs idées inexistantes par l'insinuation malveillante et l'affirmation sans preuve. Au surplus, « polémique » n'est pas une catégorie de la pensée, c'est une dénomination qui lui est extérieure, qui est toute relative au public, et au moment : la même page peut être lue comme une suite de considérations de plat bon sens, ou être ressentie comme une agression forcenée selon le milieu et l'époque où elle tombe. Cela dépend du degré d'imprégnation de ce milieu et de cette époque par les préjugés et les intérêts indirectement menacés. C'est surtout du lecteur que vient la résonance polémique d'un livre. Quant au livre même, ce qui importe est de savoir s'il contient des arguments ou s'il n'en contient pas, et ce que ces arguments valent. Mais peut-être faut-il supposer que prendre acte d'une argumentation ou même d'un fait répugne à maints esprits, qui d'ailleurs réagissent avec autant de mauvaise foi aux objections dites « nuancées » qu'aux objections formulées sans circonlocutions. Après la publication du *Contre Sainte-Beuve*, le désarroi et la consternation furent très vite surmontés, on ne tarda pas à voir poindre çà et là, même dans des articles consacrés à de tout autres sujets, de petits morceaux de phrases affirmant à tout hasard que l'auteur des *Lundis* n'était « nullement diminué » par cet ouvrage. Dans le meilleur des quotidiens français, en nous entretenant de la question de savoir si Sainte-Beuve a vraiment fait gras le vendredi saint 10 avril 1868, on glisse entre parenthèses : « Celui-ci (Sainte-Beuve) comme critique garde la première place. Négligeons le contestable *Contre Sainte-Beuve* de Proust paru l'année dernière[1]. » Mais, si cet ouvrage est contestable, que ne le conteste-t-on ! Que ne prouve-t-on que Sainte-Beuve ne s'est trompé ni sur Baudelaire, ni sur Balzac, ni sur Stendhal, ni sur Flaubert ! Rien de plus clairement définissable que les conditions auxquelles devrait, pour nous convaincre, satisfaire cette contestation. Il suffirait, en effet, de démontrer par exemple le contraire de ce que dit Proust dans le passage suivant : « Si tous les ouvrages du XIXe siècle avaient brûlé sauf les *Lundis* et que ce soit dans les *Lundis* que nous dussions nous faire une idée des rangs des écrivains du XIXe siècle, Stendhal nous apparaîtrait inférieur à Charles de Bernard, à Vinet, à Molé, à Mme de Verdelin, à Ramond, à Sénac de Meilhan, à Vicq d'Azyr, à combien d'autres, et assez indistinct à vrai dire entre d'Alton Shée et Jacquemond[2]. » Il existe toujours dans la littérature française un grand critique influent qui est une sorte d'appareil automatique et admirablement réglé de réaction négative au talent. Entre les deux guerres, ce rôle fut joué à la perfection par Thibaudet, qui trouva le moyen de ne pas mentionner, précisément, Proust dans un article paru le 1er juin 1919, où il établissait son bilan des romans français les plus importants parus pendant la guerre de 14-18. Bilan duquel émergent après un tri sévère les trois chefs-d'œuvre ci-après : *le Justicier*, de Paul Bourget, *Solitudes* d'Edouard Estau-

---

1. M. Paul Guilly, *le Monde*, 8 avril 1955.
2. *Contre Sainte-Beuve*, p. 139.

nié et *Fumées dans la campagne* d'Edmond Jaloux[1].
Chose étrange, le seul critique officiel que la postérité
condamne volontiers est un des rares qui n'ait commis
aucune erreur sur ses contemporains : Boileau. Prenons n'importe quelle satire, transposons-la dans notre
époque, jouons à remplacer les noms du XVIIᵉ siècle
par leurs équivalents contemporains, et il est facile de
voir que Boileau aurait aujourd'hui toutes les chances
d'être refusé aussi bien par un journal de droite que
par un journal de gauche. Par exemple ceci :

Bienheureux Scudéri, dont la fertile plume
Peut tous les mois sans peine enfanter un volume !
Tes écrits, il est vrai, sans art et languissants,
Semblent être formés en dépit du bon sens ;
Mais ils trouvent pourtant, quoi qu'on en puisse dire,
Un marchand pour les vendre et des sots pour les lire.

Scudéri était alors le grand romancier à la mode et
Boileau, âgé de vingt-six ans, n'était encore l'auteur
que de trois satires égales au total à vingt feuillets
dactylographiés. Traduisons en français du XXᵉ siècle
l'apostrophe de ce blanc-bec. Cela donnerait à peu
près ce langage :
   « Cher Monsieur G., ou cher Monsieur M. de l'Académie française (à la différence de Boileau, je ne puis
évidemment nommer personne, puisque j'écris au XXᵉ
siècle), cher Monsieur A., ou B., la fécondité inépuisa-

---

1. La conclusion vaut la peine d'être citée : « On ne saurait
rien imaginer de plus différent que la concentration laborieuse et
magistrale de M. Bourget, la percée méthodique, aiguë et impitoyable de M. Estaunié, le récit appliqué, spacieux, égal et plein de
M. Jaloux. »

ble de vos nègres vous permet de publier quatre livres et six cents articles par an. Certes, nul ne songe à considérer les idées anémiques et la prose tiède que vous signez comme autre chose que de l'épicerie en gros. Tout le monde est d'accord sur ce point, et pourtant vous trouvez toujours un éditeur pour vous faire imprimer, des journaux qui vous demandent de la copie et des imbéciles qui vous achètent. »

Quel mauvais goût ! s'écrierait-on. Il s'agit sûrement d'un envieux qui substitue l'injure à la critique ! Et l'on sait que, de nos jours, la critique doit demeurer « constructive », c'est-à-dire culminer en un éloge. La franchise de Boileau, lorsqu'il s'attaque à Scudéri, est encore dépassée par le courage dont il fait preuve en parlant du tout-puissant Chapelain :

Chapelain veut rimer, et c'est là sa folie.
Mais, bien que ses durs vers, d'épithètes enflés,
Soient des moindres grimauds chez Ménage sifflés,
Lui-même il s'applaudit, et, d'un esprit tranquille,
Prend le pas, au Parnasse, au-dessus de Virgile.

Franc-parler méritoire, car Chapelain ne représentait pas seulement, vers 1660, une sorte de tabou littéraire national, intangible comme peut l'être aujourd'hui Claudel, il disposait en outre d'un appréciable pouvoir temporel, puisqu'il avait la charge officielle d'établir la liste des écrivains dignes de recevoir du roi une pension. Il était en quelque sorte à la fois Claudel et M. André Malraux[1].

1. Ou mieux encore, M. André Malraux lui-même. A l'époque où ces lignes furent écrites, André Malraux était ministre des Affaires culturelles.

Bien différent du pompeux déclamateur de dogmes classiques que l'on nous peint, Boileau est le Léautaud du XVIIe siècle, par l'indépendance comme par l'intransigeance de son goût. Mais Léautaud a toujours vécu à l'écart, il n'a atteint le grand public qu'en 1951, à quatre-vingts ans, dans les célèbres entretiens radiophoniques dont la vivacité et la verve tranchèrent tellement sur le style critique de l'après-guerre ; au contraire, Boileau devint à partir de 1670 une autorité reconnue. Mais cette réussite, il ne la dut pas à un tiédissement de son caractère, ni à des compromis. Force nous est de constater qu'en matière de satire et de critique littéraire, l'esprit du XVIIe était plus libre que le nôtre. Au XXe siècle, un Léautaud est aussitôt classé comme un ronchonneur dont les réactions amusantes ne tirent pas à conséquence, ce qui est une des formes de censure les plus subtiles, et il serait inconcevable actuellement que l'auteur d'un livre à clefs aussi impitoyable que *les Caractères* continuât de jouir de l'intimité et de la confiance des puissants.

Boileau a pris à la fois des responsabilités comme critique et des risques personnels : ce sont des écrivains jeunes, c'est une école débutante qu'il a d'emblée loués, les préférant sans ambages à tout ce qui, selon lui, était insignifiant[1]. On ne retrouve dans ses écrits aucune de ces précautions peureuses, aucune de ces formules équivoques noblement qualifiées de « nuancées », par lesquelles les mauvais critiques éta-

---

1. Dans le cas de Racine, cependant, ainsi que l'a montré R. Picard, dans *la Carrière de Jean Racine*, le soutien de Boileau fut relativement tardif. Mais ce qui frappe, chez Boileau, c'est la forme absolument tranchée et sans équivoque qui est la sienne lorsqu'il condamne de mauvais écrivains.

lent, avant tout, leur crainte de se tromper, leur maigre
confiance dans leur propre jugement, leurs réticences
préventives — suiveuses des verdicts de la mode ou
anticipant sur la rencontre du soir qui les fera changer
d'opinion — enfin leur souci de constamment réserver
à côté de la louange comme à côté du blâme le correctif
compensatoire, amorce d'un revirement toujours possible.

Si l'on oublie les erreurs de fait de Sainte-Beuve
pour examiner sa thèse générale, le principe de son
explication historique des œuvres littéraires, on hésite
à dire qui, de lui ou de Proust, donne du travail créateur l'idée la plus simplifiée, la plus sommaire, la
moins satisfaisante. Proust ressasse à l'infini qu'on ne
saurait identifier le moi de la création à celui de la vie,
puis, quand il précise ce qu'il entend par ce moi de la
vie, on s'aperçoit que c'est seulement, d'après lui, le
moi qui jacasse avec Mme de Cambremer ou échange
quelques platitudes avec Oriane. Mais pourquoi
réduire arbitrairement la vie aux commérages de halls
d'hôtel et aux discours philosophiques de terrasses de
café ? Proust est stupéfait de voir que Bergotte « dans
la vie » n'est pas le Bergotte de ses livres, il médite
gravement sur ce point, mais ce qu'il appelle « dans la
vie », c'est un déjeuner chez Odette Swann ! Autrement dit, il accepte la définition même de la vie que
donne Sainte-Beuve : la vie, c'est la vie de salon. Bien
entendu, il ne nous est pas interdit de nous demander
pourquoi la vie, ce ne serait pas aussi les promenades
au bord de la Vivonne, les conversations avec Swann,
la passion, l'attrait des femmes, le spectacle du soleil

sur la mer, la lecture de Tolstoï, les crises de fou rire devant Norpois et, pourquoi pas ? le travail littéraire. La théorie de la création chez Proust est aussi sommaire que sa critique de l'intelligence. Si l'on veut bien admettre cette définition de tout repos qu'être intelligent, c'est comprendre, on voit difficilement comment on pourrait comprendre, et surtout comprendre d'autres hommes, sans ce qu'on appelle la sensibilité, l'intuition, les émotions, les sensations. Si l'on décide de restreindre l'acception du terme intelligence aux opérations décrites par la logique formelle, il est évident qu'on n'a pas attendu Proust pour s'apercevoir que Diafoirus n'était pas intelligent. De plus, on sait à quel courant réactionnaire se rattache la thèse que Proust accepte avec naïveté pour argent comptant. Musil, plus lucide que lui sur ce point, a placé satiriquement l'énoncé de cette thèse dans la bouche de ses idéalistes de salon :

« — Le Seigneur, ce serait donc en fin de compte l'équivalent, ou presque, du poème ? demanda Diotime, pensive.

« — Vous avez eu là un mot merveilleux ! répondit son ami[1]. C'est le mystère de la vie puissante. L'intelligence seule ne permet ni la morale ni la politique. L'intelligence ne suffit pas, l'essentiel s'accomplit au-delà. Les hommes qui ont atteint la grandeur ont toujours aimé la musique, la poésie, la forme, la discipline, la religion et la chevalerie[2]. »

L'explication proustienne de la création artistique (qui n'est d'ailleurs pas de son invention) supposerait,

1. Arnheim.
2. *L'Homme sans qualités*, t. II, p. 12.

pour être cohérente, une métaphysique de type plato-
nicien. Chose curieuse, l'immense majorité de la critique, au XX⁰ siècle, part de ce postulat sans oser en
formuler les implications métaphysiques, qui sont
indémontrables et ne résisteraient pas à un examen
sommaire. D'où ce langage à la fois confus, impérieux,
allusif, ampoulé, péremptoire et spongieux de toute
une critique qui fait en même temps la mystérieuse et
le grand cœur : c'est le langage de gens dont le ton est
d'autant plus affirmatif qu'ils ne savent pas ce qu'ils
affirment. Leur style a envahi également la critique
d'art, après avoir pris pied sur la phénoménologie, qui
l'a richement ravitaillé en mots. Le résultat est qu'on
parle plus rarement que jamais d'une œuvre — livre ou
tableau —, on s'en sert comme d'un écran sur lequel on
projette un film verbal à peu près identique dans tous
les cas. Il s'agit là d'une critique parasitaire et narcissique, s'exerçant aux dépens de l'œuvre commentée.
Se nourrissant de pseudo-mystère, elle est conduite à
privilégier les œuvres grandiloquentes, qui lui donnent
à mâcher en abondance le foin sans lequel elle dépéri-
rait, ce qui conduit Proust lui-même à mettre au-dessus
de Mérimée, esprit trop « sec », Maeterlinck, parce
que sa prose a des airs prophétiques[1], c'est-à-dire à
mettre un écrivain d'un talent moyen mais authentique
au-dessous d'un faux poète illisible. Autre exemple, à
propos de Balzac — auteur sur lequel l'opinion de
Proust a d'ailleurs beaucoup varié, et dont on peut dire
que les mérites ont été en grande partie inventés par
des commentateurs visionnaires et une critique que,
pour une fois, on peut appeler constructive : lorsqu'on

1. III, 34.

voit Proust admirer, avec M. de Charlus, *les Illusions perdues* ou *les Secrets de la princesse de Cadignan*, on éprouve la réaction de Saint-Loup devant la photo d'Albertine : « Il ne fit aucune observation, il avait pris l'air raisonnable, prudent, forcément un peu dédaigneux qu'on a devant un malade — eût-il été jusque-là un homme remarquable et votre ami — mais qui n'est plus rien de tout cela, car, frappé de folie furieuse, il vous parle d'un être céleste qui lui est apparu et continue à le voir à l'endroit où vous, homme sain, vous n'apercevez qu'un édredon[1]. »

Lorsque Proust écrit que la création est supérieure à l'observation, il nous oblige à remarquer qu'il entend probablement par observation quelque chose d'un peu plat et rudimentaire. Il ne réfute que la caricature du romancier-espion rôdant dans les salons en « gravant dans sa mémoire » silhouettes et propos. C'est d'ailleurs ainsi que les historiens de la littérature se représentent souvent le travail d'élaboration d'un livre, Molière ou Flaubert allant se poster au coin des rues « pour observer » comme on va à la Bibliothèque nationale prendre des notes et mettre en fiches la substance d'un ouvrage d'histoire. Ce n'est pas ainsi que s'amasse la matière d'une œuvre originale, car, bien entendu, il ne suffit pas d'observer pour voir, et souvent on voit même mieux quand on n'a pas l'intention d'observer. Mais Proust se dispense de nous expliquer comment il conçoit une création entièrement débarrassée de l'observation. Noter que tout artiste original a ses thèmes, son accent, « l'air de la chanson » que l'auteur du *Contre Sainte-Beuve* distingue

1. III, 437.

« sous les paroles », c'est simplement noter que l'affectivité est l'unique moteur, sinon la seule matière, de la création artistique. Ce n'est pas trancher le problème de savoir quelle part dans l'élaboration des œuvres d'art est d'origine intérieure, quelle part est faite d'informations (au sens le plus large de ce mot) venues du dehors, quelle part encore, dans ce que Proust nomme intérieur, est la cristallisation d'émotions et d'expériences anciennes également d'origine externe. Ce problème, d'ailleurs, il est stérile d'en discuter dans l'abstrait, le dosage des diverses origines diffère suivant les arts et suivant les artistes. Le cercle vicieux de l'esthétique consiste à faire appel à la notion arbitraire et équivoque d'« œuvre d'art » en général. Quel rapport y a-t-il entre le *Pantagruel* et un tapis persan ? Pourtant, l'esthéticien développera à propos de l'un et de l'autre les mêmes considérations sur la « création artistique », « l'expérience de l'œuvre », le « contact avec l'œuvre ». Il semble raisonnable de penser que les informations venues du dehors sont plus importantes dans les arts qui ne vont pas sans contenu empirique, tel le roman, que dans les arts faits de structures, de formes, de rythmes, et non principalement d'idées et de récits — tels les arts plastiques et la musique — et qu'il faut plus de renseignements anecdotiques sur l'humanité pour écrire *Nana* que pour composer une sonate.

Et, précisément, la manière dont Zola a été et est encore sous-estimé procède du mépris de la critique pour tout romancier chez qui on croit discerner la prédominance de l'« observation », mépris dont la contrepartie est la surestimation permanente des écrivains considérés comme ayant leur « vision ». Le fait que de nos jours les plus pâles, les plus anémiques des romans fabriqués en série, ainsi que les plus laborieuses, plates et pédestres compilations narratives soient régulièrement salués comme apportant une « vision nouvelle », un « univers » entièrement neuf est significatif parce qu'il montre dans quelle direction se dirigent les automatismes de plume et quel vocabulaire utilise de préférence le psittacisme de l'éloge. Ce snobisme qui veut que seuls les prétendus visionnaires aient du sang bleu a produit par exemple une complaisance sans limite à l'égard de Balzac et une méconnaissance des qualités les plus éclatantes de Zola — sur bien des points les qualités mêmes que l'on attribue gratuitement à Balzac, qui ne les possède pas. Au moins peut-on aborder Zola de plain-pied et juger par soi-même du mérite de ses livres, sans avoir eu, comme lorsqu'on lit Balzac, les réflexes préalablement conditionnés par toute une littérature qui vous a affirmé que c'est précisément quand c'est stupide que vous devez trouver cela sublime, une réaction défavorable ne témoignant jamais que de votre propre aridité naturelle et pauvreté d'imagination.

En écrivant que Balzac, tout en se voulant réaliste, est en fait un visionnaire, Baudelaire veut dire que la vision de Balzac prête au réel une intensité trop perpétuelle pour n'être pas souvent imaginaire, et que dans *la Comédie humaine* « chacun, même les portières, a du génie ». On a tiré parti de cette phrase pour déifier Balzac, comme s'il suffisait qu'un auteur projetât des mythes sur la réalité pour devenir inattaquable, quelle que soit la qualité de ces mythes. Par contre, on n'a jamais prêté de « vision » à Zola pour cette seule raison que sa vision se trouve en outre être exacte.

Lorsqu'il nous raconte un coup en Bourse, dans *l'Argent*, il est aussi exaltant et manie le *suspense* avec autant de brio que Balzac : la seule différence est que son coup en Bourse est vrai, qu'un agent de change ne trouverait rien à redire à l'atmosphère et aux éléments techniques de son récit, bref qu'on peut le croire, alors que neuf fois sur dix on ne peut pas croire Balzac, qui semble chercher avant tout à s'éblouir lui-même au moyen de son histoire. Aussi, la fameuse observation accélérée qu'on attribue d'ordinaire à Balzac pour expliquer qu'il ait pu acquérir une si grande connaissance des milieux les plus divers tout en les étudiant si peu, c'est plutôt à Zola que le mérite en revient. En effet, dans le cas de Balzac, où est le mérite d'acquérir de façon accélérée des connaissances pour la moitié fausses, et articulées avec une psychologie si grossière ? Celles de Zola sont exactes, et forment une masse incroyablement volumineuse, surprenante chez un homme qui a vécu une existence laborieuse et rangée. Zola était encore jeune quand il écrivit *Nana*, où l'on croirait condensée l'expérience d'un vieux marcheur ayant passé soixante ans dans les petits théâtres de variétés.

On ne souligne pas volontiers non plus l'humour, la puissance comique de Zola : il doit rester entendu que c'est un lourdaud — ni la puissance comique de Proust : ce serait le diminuer comme poète de la vie intérieure. Or le comique est justement aussi mystérieux que la poésie. Les jeux de mots de Cottard, les cuirs du directeur du Grand-Hôtel ne sont pas supérieurs à ceux d'un bon numéro de fantaisiste à Bobino, ce sont les mêmes éléments qui font le comique élémentaire et le comique raffiné. Quelle farce est plus

grosse que la série des mésaventures de l'infortuné
Morel, tiré à hue et à dia par tous les plus riches
pédérastes déferlant sur la côte, dans *Sodome et
Gomorrhe*, depuis les épisodes de la maison de plaisir
jusqu'au duel fictif de M. de Charlus ? On sait que
l'énormité caricaturale peut aboutir soit à la vulgarité,
soit au sublime.

On doit se consoler de voir que Proust a pris Henri
de Régnier, Pierre Loti, Francis Jammes pour de très
hauts génies, en constatant qu'il est par contre le seul
grand écrivain à posséder un sens véritable de la peinture, et des arts plastiques en général. Il m'est arrivé
plus haut de déplorer les rapprochements tout mondains que Proust — imitant en cela Ruskin dans ses
pires défauts — établit entre tel personnage d'un
tableau célèbre et tel personnage réel. Mais cela ne
doit pas faire omettre qu'en général, sauf dans ses
broderies discutables autour des fresques padouanes
de Giotto, ses références à des tableaux sont constamment des plus heureuses, des moins forcées, et témoi-
gnent à la fois d'une sûreté d'œil, d'une sensibilité aux
arts de l'espace, d'une culture formée au contact des
œuvres, bien rares dans la littérature française. Proust
excelle à donner l'équivalent en prose d'un tableau,
avec cette précision à la fois évocatrice et descriptive
qu'on rencontre parfois au xixe siècle — l'âge d'or de
la critique d'art — chez Taine, chez Fromentin, chez
les Goncourt. J'ignore qui était le modèle d'Elstir.
Émile Blanche prétend méchamment qu'il s'agissait
seulement de Helleu, mais dans la préface au livre,
d'ailleurs remarquable, de ce même Blanche, intitulé

De David à Degas, Proust mentionne « le grand, l'admirable Picasso », ce qui révèle l'originalité de son
goût, alors que Balzac était impressionné uniquement
par le prix coûtant des œuvres d'art et que Stendhal,
qui passe aujourd'hui pour connaisseur, se bornait à
refléter le goût à la mode de son temps.

La thèse de Proust sur la création littéraire est le
retournement exact de celle de Sainte-Beuve, et elle
est du même niveau. A la thèse que l'œuvre procède du
moi des dîners en ville, Proust réplique qu'elle procède d'un moi qui ne mange jamais. Mais il aurait eu
beaucoup plus de mal à discuter du problème avec
Taine qui, lui, est réellement un grand historien de
l'art et des lettres, alors que l'erreur de Sainte-Beuve,
et à sa suite de toute l'histoire littéraire universitaire,
n'est pas du tout de vouloir fournir une explication
historique des œuvres, c'est de ne pas la fournir vraiment, de ne pas même l'aborder, d'appeler histoire de
la littérature une histoire anecdotique des auteurs.
Dans toutes les histoires de la littérature on pousse
encore des cris de joie le jour où on établit, documents
en mains, qu'un poète a écrit un poème triste une
heure après avoir reçu sa feuille d'impôts. La *Recherche du temps perdu* elle-même n'a pas échappé aux
nuages des sauterelles qui se sont donné du bon temps
à mesurer la largeur des allées à Illiers et la hauteur des
vagues à Cabourg. Hélas ! Ce qui fait la beauté d'une
promenade en barque chez Maupassant, ce n'est pas la
promenade en barque, que tout le monde peut faire,
c'est Maupassant — bien que sans barque le texte de
Maupassant n'eût pas été écrit. Paradoxe inquiétant,

malgré tant de travaux érudits et des bibliothèques entières de thèses de doctorat, chaque fois qu'on veut se documenter sur un auteur, il est difficile de trouver un livre qui parle de son œuvre. La plupart de ceux qu'on trouve semblent s'attacher à envisager un écrivain avec la plus grande minutie sous tous ses aspects sauf celui qui fait que nous avons envie de lire un livre de lui. L'œuvre semble se surajouter de l'extérieur, pour les motifs les plus incompréhensibles, à la vie d'un M. X... quelconque.

Dans l'aspect négatif de sa critique de Sainte-Beuve, Proust a donc raison car il y a une seule manière de parler d'un auteur, il y a une condition fondamentale qu'il faut remplir : il faut que ce qui lui importait vous importe. Parler d'un auteur, c'est dire en prenant appui sur lui ce qu'on pense soi-même de ce dont il a parlé.

TABLE

Dans la collection
Les Cahiers Rouges

*Cet ouvrage a été réalisé sur
Système Cameron
par la SOCIÉTÉ NOUVELLE FIRMIN-DIDOT
Mesnil-sur-l'Estrée
pour le compte des Éditions Grasset
le 7 mai 1987*

Imprimé en France
Dépôt légal : mai 1987
N° d'édition : 7279 – N° d'impression : 6745
ISBN : 2-246-39261-6
ISSN : 0756-7170